MISSION 6
SANG POUR SANG

www.cherubcampus.fr
www.casterman.com

Publié en Grande-Bretagne par Hodder Children's Books, sous le titre : *Man vs Beast*

© Robert Muchamore 2006 pour le texte.

ISBN 978-2-203-03001-5

casterman

© Casterman 2010 pour l'édition française
Achevé d'imprimer en septembre 2011, en Espagne par Novoprint.
Dépôt légal : mars 2010 ; D.2010/0053/182
Déposé au ministère de la Justice, Paris (loi n° 49.956 du 16 juillet 1949
sur les publications destinées à la jeunesse).

Sang
pour +
sang

Robert Muchamore

CHERUB/06

Traduit de l'anglais
par Antoine Pinchot

Avant-propos

CHERUB est un département spécial des services de renseignement britanniques composé d'agents âgés de dix à dix-sept ans recrutés dans les orphelinats du pays. Soumis à un entraînement intensif, ils sont chargés de remplir des missions d'espionnage visant à mettre en échec les entreprises criminelles et terroristes qui menacent le Royaume-Uni. Ils vivent au quartier général de CHERUB, une base aussi appelée « campus », dissimulée au cœur de la campagne anglaise.

Ces agents mineurs sont utilisés en dernier recours dans le cadre d'opérations d'infiltration, lorsque les agents adultes se révèlent incapables de tromper la vigilance des criminels. Les membres de CHERUB, en raison de leur âge, demeurent insoupçonnables tant qu'ils n'ont pas été pris en flagrant délit d'espionnage.

Près de trois cents agents vivent au campus. Le rapport de mission suivant décrit en particulier les activités de **JAMES ADAMS**, né à Londres en 1991, agent brillant comptant cinq missions à son actif ; sa petite sœur **LAUREN ADAMS**, née en 1994, l'un des meilleurs éléments de CHERUB ; **KYLE BLUEMAN**, né en 1989 au Royaume-Uni, meilleur ami de James.

Les faits décrits dans le rapport que vous allez consulter se déroulent durant l'été 2006.

Rappel réglementaire

En 1957, CHERUB a adopté le port de T-shirts de couleur pour matérialiser le rang hiérarchique de ses agents et de ses instructeurs.

Le T-shirt **orange** est réservé aux invités. Les résidents de CHERUB ont l'interdiction formelle de leur adresser la parole, à moins d'avoir reçu l'autorisation du directeur.

Le T-shirt **rouge** est porté par les résidents qui n'ont pas encore suivi le programme d'entraînement initial exigé pour obtenir la qualification d'agent opérationnel. Ils sont pour la plupart âgés de six à dix ans.

Le T-shirt **bleu ciel** est réservé aux résidents qui suivent le programme d'entraînement initial.

Le T-shirt **gris** est remis à l'issue du programme d'entraînement initial aux résidents ayant acquis le statut d'agent opérationnel.

Le T-shirt **bleu marine** récompense les agents ayant accompli une performance exceptionnelle au cours d'une mission.

Le T-shirt **noir** est décerné sur décision du directeur aux agents ayant accompli des actes héroïques au cours d'un grand nombre de missions. La moitié des résidents reçoivent cette distinction avant de quitter CHERUB.

La plupart des agents prennent leur retraite à dix-sept ou dix-huit ans. À leur départ, ils reçoivent le T-shirt **blanc**. Ils ont l'obligation – et l'honneur – de le porter à chaque fois qu'ils reviennent au campus pour rendre visite à leurs anciens camarades ou participer à une convention.

La plupart des instructeurs de CHERUB portent le T-shirt blanc.

1. Rouge sang

Andy se sentait merveilleusement bien. Sa couette était remontée sous son menton, ses muscles parfaitement relâchés, sa tête calée contre un oreiller douillet. Seul le soleil, dont les rayons filtraient entre les rideaux mal ajustés, venait le tourmenter.

Il n'avait même pas le courage de tourner la tête vers la table de nuit pour consulter le réveil, mais il savait qu'il était temps de se lever. Il disposait de moins d'une heure pour s'habiller, prendre son petit déjeuner et rejoindre le collège afin d'assister au premier cours de la semaine, avec pour seule perspective la punition que ne manquerait pas de lui infliger Mr Walker pour n'avoir pas rendu son devoir du week-end, une dissertation concernant la pièce de théâtre *Macbeth*. Il s'efforçait d'imaginer le visage courroucé de son professeur, lorsque sa mère entra dans la chambre sans frapper.

— Je t'ai déjà appelé trois fois ! gronda-t-elle.

Elle marcha d'un pas martial vers la fenêtre puis écarta les rideaux d'un coup sec.

Vêtue de blanc des pieds à la tête, Christine Pierce ressemblait à un ange au visage austère.

— Il y a des toasts sur la table de la cuisine. Ils doivent être froids, maintenant.

Sur ces mots, elle arracha la couette que son fils refusait de quitter.

— *Mamaaan…* gémit Andy.

Il plaqua une main sur ses yeux. De l'autre, il couvrit pudiquement ses parties intimes.

— Oh ! arrête un peu ta comédie, sourit Christine. Je te signale que j'ai dû te voir tout nu un million de fois.

Elle porta la couette à ses narines et afficha une expression de dégoût.

— Bon sang, Andy ! quand as-tu changé tes draps pour la dernière fois ?

Le garçon haussa les épaules, s'assit sur le lit puis attrapa le caleçon propre posé la veille sur la table de nuit.

— Je sais plus trop… La semaine dernière, je crois.

— Et regarde-moi ces taies d'oreiller… Elles sont toutes jaunes.

— Elles ne sentent rien.

Tout en passant sa chemise d'uniforme, Andy considéra les lèvres serrées de sa mère et comprit qu'elle pouvait à tout moment s'abandonner à l'une de ses colères thermonucléaires. Il devait se montrer prudent.

— Ce soir, quand je reviendrai du travail, je veux que ces draps *dégoûtants* soient lavés et suspendus dans le jardin. Et tu t'occuperas de ceux de ton frère, pendant que tu y es.

— *Quoi ?* s'étrangla-t-il. Et pourquoi je devrais m'occuper du linge de Stuart ?

La femme tendit un index menaçant sous le nez de son fils.

— Tu me rappelles à longueur de temps que tu as quatorze ans et que tu es assez grand pour rentrer du cinéma à onze heures du soir avec tes copains. Du coup, j'en conclus que tu es en âge d'assumer des responsabilités dans cette maison. Nous ne sommes pas dans un hôtel, et je suis ta mère, pas ta femme de chambre.

— À vos ordres, Majesté, répliqua Andy, la mine sombre.

Christine consulta sa montre.

— Bon, il faut que je file. Je voudrais juste que tu comprennes que ma vie serait un peu plus facile si tu me filais un coup de main de temps à autre.

Andy ne supportait plus ce discours culpabilisateur entendu une bonne centaine de fois. Il lança les jambes en l'air et enfila son pantalon.

— Tu m'as laissé de l'argent pour déjeuner ? demanda-t-il.

— Il y a un ticket de bus sur la table de la cuisine et un sandwich au jambon, tomate et moutarde dans le frigo.

— Je peux avoir un peu de fric pour m'acheter un kebab ?

— Ah ! tu ne vas pas recommencer avec ça. Tu sais très bien que je n'ai pas les moyens.

— Tous mes potes se payent des kebabs. Il n'y a que

les bouffons qui mangent des sandwiches au pain de mie préparés par leur mère.

— Dans ce cas, va te plaindre à ton père. Sa nouvelle nana se balade dans une Focus toute neuve. Moi, tous mes comptes sont dans le rouge.

Cet argument se révéla plus efficace que la tentative de chantage affectif. Andy était en âge de comprendre que son père était un pauvre type dont le comportement irresponsable condamnait sa mère à multiplier les heures supplémentaires pour garder la tête hors de l'eau.

— Je serai de retour vers sept heures, dit Christine en se penchant pour embrasser son fils. Je ne plaisante *pas* à propos de la lessive, c'est bien compris ?

Elle observa avec amusement la traînée de rouge à lèvres sur le visage d'Andy, quitta la chambre et s'engagea dans l'escalier menant au rez-de-chaussée. Trente secondes plus tard, l'adolescent lui emboîta le pas.

Il trouva Stuart, son petit frère de onze ans, attablé dans la cuisine. Il détestait sa bonne humeur, son caractère docile, ses cheveux soigneusement peignés sur le côté et son uniforme impeccable. Le petit garçon avait les yeux rivés sur le poste de télévision portable qui diffusait un épisode de *Bugs Bunny*.

— Tu ne vois pas que maman est stressée ? demanda-t-il. Tu ne peux pas lui foutre la paix, de temps en temps ?

Andy n'était pas particulièrement fier de lui, mais il était incapable de modifier son comportement. Il ne cessait de se dresser contre sa mère, et avait fini par mettre cette attitude sur le compte de l'adolescence. Quoi qu'il en soit, il n'était pas question de reconnaître ses torts devant son frère.

— Qu'est-ce que ça peut te foutre ? lança-t-il.

Stuart poussa un soupir accablé.

— Tu es un salaud d'égoïste.

— Va te faire voir.

— Ah ! arrêtez de vous disputer, vous deux ! cria Christine depuis l'entrée.

Sac à l'épaule et clés de voiture en main, elle était prête à partir au travail.

— Il vous reste dix minutes. N'oubliez pas de fermer à clé.

— À ce soir, maman, dit Andy. Passe une bonne journée.

— On peut toujours rêver, lâcha-t-elle sur un ton lugubre.

Lorsqu'elle eut quitté la maison, Andy jeta un regard sombre à son frère.

— Toi, si tu continues à me parler sur ce ton, tu vas t'en prendre une.

Stuart observa un silence prudent. Il cherchait une réplique équilibrée susceptible de blesser son interlocuteur sans entraîner une riposte physique.

Soudain, un hurlement retentit à l'extérieur, depuis l'allée menant au garage.

C'était leur mère qui avait poussé ce cri. Il n'avait rien à voir avec l'exclamation aiguë qu'il lui arrivait de lâcher lorsqu'elle découvrait une araignée ou les rugissements proférés au visage de son ex-mari lors de leurs incessantes disputes. Cette plainte déchirante traduisait une souffrance intense.

Les deux garçons sautèrent de leur chaise, coururent jusqu'à l'entrée et se figèrent sur le seuil de la maison.

Leur mère se tordait de douleur sur le gravier. Elle hurlait et crachait tour à tour. Son visage et ses mains dégoulinaient de peinture écarlate. Deux inconnus encagoulés se tenaient près de la voiture. L'un d'eux défonça le pare-brise à l'aide d'une masse, puis fit voler en éclats deux vitres latérales. L'autre, vêtu d'un pantalon de treillis camouflage, se tenait près de Christine Pierce, prêt à frapper.

— Non ! hurla Andy en se précipitant pieds nus vers l'agresseur.

Malgré son physique athlétique, il n'était pas de taille à se mesurer à un adulte. L'homme passa un bras autour de son cou et lui porta un violent coup de poing au visage.

— S'il y a un tueur ici, ce n'est pas moi ! lâcha-t-il.

Le nez brisé, Andy recula contre une haie. Un coup de pied au ventre l'envoya rouler dans un enchevêtrement de branchages. Il essuya son nez sanglant d'un revers de manche puis vit les deux hommes courir vers l'extrémité de l'allée et prendre la fuite à bord d'une vieille Citroën.

Il n'avait rien pu faire pour protéger sa mère. La douleur n'était rien en comparaison du profond sentiment d'impuissance et de culpabilité qu'il ressentait.

— Je suis aveugle, gémit Christine.

Stuart, blanc comme un spectre, semblait pétrifié.

— Ne reste pas planté là, espèce d'abruti ! cria Andy. Appelle une ambulance.

Stuart recouvra ses esprits et se rua vers le téléphone. Alors, Andy découvrit le graffiti tracé à la peinture rouge sur la porte du garage, un nœud de pendu accompagné de l'inscription :

ABANDONNEZ VOTRE TRAVAIL AU LABO
OU VOUS MOURREZ.
ORDRE DE LA
MILICE DE LIBÉRATION DES ANIMAUX

2. Une triste histoire

« L'équipe médicale craint que la victime, âgée de trente-six ans, n'ait définitivement perdu la vue. Cette agression s'ajoute à une longue liste d'attaques menées ces derniers mois par la Milice de Libération des Animaux. La police de la province de l'Avon affirme avoir mis en œuvre toutes les mesures nécessaires pour assurer la sécurité du personnel du laboratoire Malarek, mais les moyens dont elle dispose ne permettent pas de protéger individuellement chacun de ses deux cents employés. »

James Adams ne prêtait pas attention aux informations diffusées par le poste de télévision suspendu au mur du réfectoire. Il déjeunait à sa table habituelle en compagnie de Kerry, Bruce, Callum, Connor et Shak, les membres de sa bande qui n'avaient pas été envoyés en mission.

Deux minutes plus tôt, Bruce avait trébuché contre un pied de chaise, basculé les quatre fers en l'air et laissé échapper son plateau. Une assiette de macaronis et le contenu d'une canette de Seven Up étaient retombés en pluie sur une fille assise à la table voisine. Les agents qui avaient assisté à la scène, écroulés de rire, peinaient à reprendre leur souffle.

James contempla les os de poulet entassés dans son assiette. La peau de son ventre était tendue à craquer. Il se sentait parfaitement décontracté, si serein qu'il n'éprouvait même pas le désir de prendre part à la discussion. Son repas achevé, Kerry avait retiré ses chaussures et posé ses pieds sur ses cuisses.

Il appréciait ce geste d'affection. C'était un signe évident que sa petite amie était de bonne humeur et qu'il pouvait raisonnablement envisager de faire ses devoirs en sa compagnie puis de poursuivre l'après-midi par une longue séance de câlins.

Shak, assis à la droite de James, contempla les pieds de Kerry.

— Ils sont vraiment minuscules. Tu chausses du combien ?

— Du trente-cinq.

Shak hocha la tête.

— Vous savez pourquoi les nanas ont des pieds aussi petits ?

— Statistiquement, tout est plus petit chez les filles, fit observer Kerry.

— Sans blague, personne ne sait pourquoi ? insista Shak, un sourire en coin sur les lèvres.

À l'évidence, aucun de ses camarades ne manifestait d'intérêt pour sa devinette.

— C'est encore une de tes blagues bidon ? demanda Bruce.

— Comment ça *bidon* ? Mes vannes déchirent tout.

Un concert de soupirs salua cette affirmation.

— Si tu le dis, lança Callum.

— Très bien, si vous ne voulez pas savoir, je me tais…

— Bon, d'accord, gronda Bruce, balance-la, ta blague, et qu'on en finisse. Alors, pourquoi les filles ont les pieds plus petits que les mecs ?

— C'est pour pouvoir se tenir plus près de l'évier quand elles font la vaisselle, dit Shak, fendu jusqu'aux oreilles.

Comme prévu, c'était une plaisanterie affligeante, mais les garçons émirent quelques gloussements polis. James parvint à esquisser un sourire. Kerry lui lança un regard noir.

— Vous n'êtes qu'une bande de porcs sexistes ! cracha-t-elle en ôtant précipitamment ses pieds des cuisses de son petit ami.

— Eh ! j'y suis pour rien, protesta James. C'est Shak qui a raconté cette blague.

— Mais tu as ri.

Sur ces mots, elle lui adressa une claque retentissante.

— Nom de Dieu, Kerry, gémit James en levant les mains devant son visage. Tu ne crois pas que tu prends les choses un peu trop au sérieux ?

Kerry ne répondit pas. Elle se tourna vers Shak. Ses yeux lançaient des éclairs.

— Tu trouves tes petites blagues sexistes très amusantes, pas vrai ? Ça te brancherait si je commençais à balancer des vannes sur les Pakistanais ?

Les garçons observèrent un silence tendu. Kerry saisit son plateau et tourna les talons. James, l'air soumis, frotta sa joue écarlate.

Dès que la jeune fille eut quitté le réfectoire, Bruce et Callum explosèrent de rire.

— Putain, elle t'a pas loupé ! ricana ce dernier.

— Le bruit que ça a fait ! ajouta Bruce en frappant frénétiquement la table du plat de la main.

James lança à Shak un regard plein de reproches.

— Je te remercie, c'était vraiment très malin !

— On dirait que le câlin de Monsieur Adams est annulé, railla Callum.

Bruce, Connor et Shak se tordirent de rire.

— Ah ! ça vous fait bien marrer, hein ? dit James. Et vos copines à vous, elles sont où ? Oh, mais c'est vrai, j'oubliais : vous n'en avez pas.

— Ben si, moi j'ai Naira, objecta Callum.

Bruce pouffa.

— Arrête ton char. Vous vous êtes embrassés deux fois, et puis elle est partie pour une mission de six mois.

— Ouais, mais ça compte quand même. Elle m'envoie des e-mails presque tous les jours. T'es déjà sorti avec une fille, toi ?

— Plein de fois.

James gloussa.

— Ah ouais ? Et tu peux nous dire avec qui ?

— Pas avec des nanas d'ici. Je les ai rencontrées en mission.

La timidité maladive de Bruce lorsqu'il se trouvait en présence d'une fille n'était un secret pour personne. Ses camarades avaient la conviction qu'il avait inventé de toutes pièces ses prétendues histoires sentimentales.

— Il est en couple avec Jeremy, l'ours en peluche bleu avec lequel il dort, ricana Shak.

— Va te faire foutre ! répliqua Bruce, fou de rage. Je ne dors pas avec Jeremy. Il est tombé de l'étagère, une nuit, et il a atterri sur mon lit. Kyle est entré dans ma chambre pendant que je dormais et il a raconté n'importe quoi sur mon compte.

— Jeremy ? s'étonna James. Drôle de nom pour une peluche.

— C'est clair, dit Connor. Il aurait au moins pu lui trouver un nom de nana.

Bruce se dressa d'un bond.

— Tu me parleras sur un autre ton, dans cinq secondes, quand je t'aurai pété les dents !

James poussa un profond soupir puis se leva.

— Bon, les filles, je vous laisse régler vos comptes. Faut que j'aille retrouver Kerry dans ma chambre.

— Tu rêves, dit Shak. Ça m'étonnerait qu'elle vienne te voir, vu la mandale qu'elle vient de te balancer.

— T'inquiète. Mademoiselle Je-sais-tout est nulle en algèbre. Sans mon cerveau génial, elle serait incapable de faire la différence entre un X et un Y.

— T'as vraiment trop de bol avec les filles, soupira Connor.

James afficha une expression satisfaite.

— Qu'est-ce que vous voulez que je vous dise, les mecs ? C'est comme ça, je les fais toutes craquer.

•••

James regagna sa chambre au pas de course, enjamba un monceau de vêtements sales et s'assit sur le lit pour lire *Les Grandes Espérances* de Charles Dickens. Il était censé en avoir parcouru les deux cent cinquante premières pages, mais il éprouvait les pires difficultés à achever la lecture de la soixante-dixième. La venue imminente de Kerry semait le trouble dans son esprit.

Environ une heure plus tard, on frappa trois coups à la porte. C'était le signal secret établi entre James et sa sœur.

— Entre, Lauren ! lança-t-il.

— Wah ! s'exclama la jeune fille en pénétrant dans la chambre, ta joue est toute rouge. Kerry m'a dit qu'elle y était allée de bon cœur, mais je n'imaginais pas que c'était à ce point.

James glissa son marque-page dans son livre.

— Tu l'as vue ? Tu sais si elle a l'intention de venir me voir ?

— Te fais pas trop d'illusions. Elle vient de sortir de ma chambre. Je l'ai aidée à terminer son exercice de maths.

— Mais c'est de la trahison ! s'étrangla James. Pourquoi tu as accepté de lui filer un coup de main ? En plus, je suis bien meilleur que toi en maths.

— Elle est fâchée contre toi. Et puis, je n'ai peut-être pas ton niveau, mais il n'empêche que je n'ai que des A. Tout ça, c'est bien fait pour toi. Ça t'apprendra à balancer tes sales blagues de macho.

— C'est Shak qui a sorti cette vanne. Moi, j'ai juste souri.

— Tout ça n'a aucune importance. Kerry et toi, vous êtes des personnages de sitcom. Je suis sûre que dès demain, vous vous lécherez la pomme comme si de rien n'était.

— Si je comprends bien, tu es venue ici juste pour te foutre de ma gueule.

— Non. En fait, j'ai un service à te demander.

— Tu m'inquiètes, là.

Lauren s'assit au bord du lit.

— Tu connais Kirsten McVicar ?

James secoua la tête.

— Mais si, elle était à ma fête d'anniversaire. Elle portait des collants noirs à pois verts. C'est une copine de Bethany. Elle a un an de moins que nous.

— Non, je vois pas. Toutes tes amies se ressemblent. Vous racontez les mêmes conneries, et vous n'arrêtez pas de vous échanger vos fringues. Bon, qu'est-ce que tu veux ?

— Kirsten a abandonné le programme d'entraînement la semaine dernière. Jake, le petit frère de Bethany, était dans la même session.

— Il s'en sort comment ?

— Il paraît qu'il s'accroche, mais il vient tout juste d'avoir dix ans. Il s'est fait une entorse au pouce et il a du mal à porter son sac à dos sur les longues distances et tout ça.

— Le pauvre. J'espère qu'il ne va pas être obligé de laisser tomber. Il se la pète un peu trop, des fois, mais je l'aime bien, ce gamin.

— *Il se la pète ?* Franchement, James, c'est l'hôpital qui se moque de la charité. Bref, Bethany et moi, on voudrait lui filer un coup de main. Notre plan, c'est de lui faire passer un colis en douce, cette nuit. Des barres de céréales, des rangers neuves, des sous-vêtements de rechange, des sangles molletonnées pour son sac à dos…

James était sidéré.

— Lauren, on ne peut pas entrer dans le camp d'entraînement. Qu'est-ce que tu fais du système d'alarme, des barbelés et des caméras de surveillance ?

— On a tout prévu, mais on préférerait qu'un agent plus expérimenté nous accompagne.

— C'est hors de question ! protesta James. Tu as pensé à ce qui va nous tomber dessus si on se fait prendre ? Jake est sympa, mais il va falloir qu'il s'accroche pour arriver au bout du programme. On est tous passés par là.

— *S'il te plaît*, James.

— Et puis depuis quand tu t'intéresses à Jake ? Je comprends que Bethany soit prête à prendre des risques pour son petit frère, mais toi ? Je ne t'ai jamais entendue dire un seul truc positif sur lui. Tu lui as même mis une raclée le jour où il a bouché tes toilettes avec du pop-corn.

— Bethany est ma meilleure amie. Il est hors de question que je la laisse tomber.

Soudain, James eut une révélation.

— Attends une seconde… Jake n'a rien à voir dans tout ça. Ton chéri participe au programme d'entraînement, pas vrai ? C'est Rat que tu veux aider.

— Non, bredouilla Lauren. Enfin, si… Rat est le binôme de Jake, mais je t'assure qu'il n'y a rien entre nous.

— Ne te fatigue pas, Lauren, c'est évident que tu craques pour lui. Maintenant, écoute-moi bien. La vie au campus n'a pas toujours été facile pour moi. J'ai collectionné les punitions, les tours de piste et les heures passées à nettoyer les toilettes. Aujourd'hui, je me tiens à carreau, mes devoirs sont à jour et j'ai des notes correctes dans toutes les matières. Et j'ai bien l'intention de tout faire pour que ça continue comme ça.

— Je savais que tu allais dire ça, soupira Lauren. Tant pis, je ne voulais pas en arriver là, mais je vais devoir te demander de me rendre la faveur que tu me dois.

— Quelle faveur ? Je ne te dois rien du tout.

Un rictus maléfique apparut sur le visage de Lauren. Ses traits avaient changé avec le temps, mais cette expression était restée identique depuis son plus jeune âge. James la connaissait par cœur. Elle la lui avait servie un nombre incalculable de fois. Des souvenirs douloureux lui revinrent en mémoire : sa sœur regagnant paisiblement sa poussette après lui avoir écrasé un cornet de glace sur le visage ; la même petite peste le dénonçant à sa mère après avoir cassé le magnétoscope.

— Tu te rappelles, l'année dernière, quand on était dans l'Idaho ? demanda Lauren sur un ton léger. Si je me souviens bien, tu es sorti avec une certaine Becky alors que tu étais censé être avec Kerry. J'ai gardé ça pour moi, tu connais ma discrétion. Mais on ne sait jamais, il se pourrait que cette information m'échappe. Ce serait vraiment trop bête. Je crois que Kerry te ferait passer un sale quart d'heure. Si tu me rends ce service, je te promets d'oublier définitivement cette triste histoire.

— Lauren ! gronda James. Tu ne me demandes pas une faveur, tu essaies de me faire chanter.

— Appelle ça comme tu veux. Écoute, tu aimes bien Jake et Rat. Je ne vois pas où est le problème.

— Il faut être sacrément gonflée pour faire chanter son propre frère… murmura James, sous le choc.

— Bethany et moi, on a tout planifié. Les chances de se faire prendre sont pratiquement nulles.

James était convaincu qu'elle bluffait. Il n'imaginait pas sa propre sœur capable de recourir à des méthodes aussi scandaleuses.

— Tu sais quoi ? Je ne marche pas dans ta combine. Je suis sorti avec Becky il y a plus d'un an, et Kerry sait très bien que je ne suis pas un ange. Elle comprendra.

Lauren, tout sourire, se dirigea vers la porte.

— Très bien. Je vais lui annoncer la nouvelle immédiatement.

— Parfait. Comme tu voudras.

Lauren s'engagea dans le couloir d'un pas décidé. Comprenant que sa sœur était prête à tout, James se lança à sa poursuite et l'intercepta à moins de deux mètres de la chambre de Kerry.

— OK, t'as gagné, chuchota-t-il.

Lauren afficha un sourire satisfait.

— Je ne me faisais pas de souci pour ça.

— Je vais t'aider, mais tu me fous la trouille, là. Qu'est-ce qui me dit que tu n'essaieras pas à nouveau de me faire chanter ? Tu dois me promettre de ne jamais parler de cette histoire à personne, OK ? Jure-le sur la tombe de maman.

— Marché conclu ! lança-t-elle en se jetant dans ses bras. Merci, James.

Il éprouvait à l'égard de sa sœur un sentiment étrange, mélange de mépris pour ses méthodes et d'admiration pour son culot phénoménal. Soudain, la porte de la chambre de Kerry s'ouvrit à la volée.

— Il me semblait bien avoir reconnu vos voix, dit la jeune fille. Qu'est-ce que vous faites ici ?

— On traîne, marmonna James sans grande conviction.

— J'ai réussi à persuader ce crétin de venir s'excuser, expliqua Lauren.

À son grand soulagement, James vit un sourire éclairer le visage de sa petite amie.

— Je crois que j'ai réagi de façon excessive, dit-elle.

James haussa les épaules.

— J'ai un peu honte d'avoir ri à cette blague minable, confessa-t-il.

— Ça n'a pas d'importance, dit la jeune fille avant de déposer un baiser sur sa joue. T'en es où des *Grandes Espérances* ?

— Page cent douze.

— Moi, j'ai à peine commencé. Vu le retard que j'ai pris, je n'ai plus aucune chance de le finir à temps. J'ai emprunté le DVD à la vidéothèque. Tu veux qu'on le regarde ensemble ?

— Tu me sauves la vie, soupira James en entrant dans la chambre. À tout à l'heure, Lauren.

— Je t'enverrai un e-mail avec tous les détails, lança cette dernière. Et ne sois pas en retard.

— De quoi elle parle ? demanda Kerry.

James l'embrassa sauvagement.

— C'est juste un truc entre nous, répondit-il avant de claquer la porte d'un coup de pied.

3. Risque zéro

James avait mis son réveil à sonner à deux heures du matin, mais la perspective des risques insensés auxquels allaient le contraindre les exigences de sa sœur ne lui permit pas de fermer l'œil.

Il se glissa hors de son lit à l'heure prévue puis enfila des vêtements adaptés à une opération nocturne : un pantalon de survêtement, une casquette de base-ball bleu marine et une paire d'Adidas noires.

Il retrouva Lauren et Bethany au rez-de-chaussée, dans un cagibi obscur situé sous l'escalier de secours.

— Merci d'être venu, chuchota Bethany. J'étais persuadée que tu refuserais. Je ne sais pas comment Lauren s'y est prise.

— C'est que tu ne la connais pas si bien que ça, répondit James en lançant un regard noir à sa sœur.

Il avait toujours éprouvé une certaine antipathie à l'égard de Bethany. Elle avait de l'humour et du plomb dans la cervelle, mais son attitude arrogante et ses gloussements incessants lui tapaient sur le système.

— Tu es sûr que tu n'as pas été suivi ? demanda Lauren.

— Sûr et certain.

— Cool. Bon, mettons-nous d'accord sur un point. Le camp d'entraînement est situé tout près de l'armurerie du champ de tir. Si on se fait pincer, on dira qu'on a reçu l'ordre d'aller chercher des tasers pour une mission.

— S'ils vérifient, on est morts.

— Détends-toi, dit Bethany. Personne ne se promène dans le campus au milieu de la nuit.

— Alors, c'est quoi, votre plan ?

— Prends ce sac. Je t'expliquerai en chemin. Moins de temps on passera à l'extérieur de nos chambres, mieux ça vaudra.

— Tu es sûre que cette porte coupe-feu n'est pas équipée d'une alarme ?

— Fais-nous confiance. On a tout prévu.

James jeta sur son épaule un grand sac de toile bleue.

— Nom de Dieu, ça pèse une tonne. Je croyais que vous vouliez juste faire passer un peu de bouffe et des vêtements de rechange. Qu'est-ce qu'il y a là-dedans ?

— Un peu de matos, expliqua Bethany. Des pinces coupantes, quelques outils et trois paires de cuissardes en caoutchouc.

— C'est pour ça qu'on avait besoin de toi, sourit Lauren en poussant la porte anti-incendie. On est les cerveaux de l'opération. Toi, tu es chargé du département biceps.

Les trois complices se glissèrent l'un après l'autre hors du bâtiment principal. Comme prévu, aucune alarme ne retentit. Lauren adressa à son frère un regard satisfait.

— Qu'est-ce que je t'avais dit ?

Les sacs dont ils étaient chargés les empêchant de courir, ils traversèrent le terrain de football d'un pas vif et se dirigèrent vers la forêt qui occupait la partie non bâtie du campus. Ils coupèrent par un sous-bois puis s'engagèrent sur un sentier. Les rayons de lune qui filtraient entre les branchages permettaient à peine d'en discerner le tracé.

— Ça nous rallonge un peu, mais ce chemin ne sert qu'aux épreuves de cross-country, expliqua Lauren.

— Et si on croise quelqu'un, on n'aura qu'à se cacher derrière les arbres, ajouta Bethany.

James se sentait vaguement rassuré. À l'évidence, les filles avaient soigneusement préparé l'opération.

— Tu te souviens quand Kyle et moi avons curé les fossés à l'arrière du campus ? demanda Lauren.

— Ouais, la fois où vous étiez punis.

— L'un d'eux traverse le camp d'entraînement. C'est par là qu'on va passer. Il suffira de sectionner quelques fils de fer barbelés.

— Et avant que tu poses la question, ils ne sont ni électrifiés ni connectés au système d'alarme, précisa Bethany. On a vérifié.

— Et pour les caméras de surveillance ? demanda James. Il y en a partout. Si un écureuil éternue dans le camp, les instructeurs sont immédiatement au courant.

— Effectivement, il y a exactement cinquante-trois caméras, précisa Lauren. Mais elles sont alimentées par un seul circuit électrique. Si on neutralise le fusible, tout le réseau cessera de fonctionner.

— Comment vous savez ça ?

— La dernière fois qu'il a été puni, Martin Newman a travaillé au bâtiment administratif, dit Bethany. Il a accepté de faire une copie du système électrique du campus.

Lauren gloussa bruyamment.

— Et maintenant, tu dois aller au ciné avec lui.

— Oh ! ferme-la, répliqua Bethany. Je sais que j'ai promis, mais je te garantis que je trouverai un moyen de me défiler.

— Martin va être dégoûté grave. Il ne te plaît pas, vraiment ? C'est original, un garçon avec une seule oreille décollée.

— Tu peux parler, toi. Tu es dingue de Rat. Pas vraiment un prix de beauté non plus…

— Allez-y, faites encore plus de bruit pendant que vous y êtes, gronda James que ce genre de conversation agaçait au plus haut point.

Subitement frappées par leur propre inconséquence, les deux filles échangèrent un regard embarrassé puis poursuivirent leur progression dans le plus grand silence.

•••

Dix minutes plus tard, le commando clandestin atteignit un fossé d'un mètre cinquante de profondeur situé à l'arrière du camp d'entraînement. Lauren tira une lampe électrique de la poche arrière de son jean et éclaira la tranchée.

— C'est ici, chuchota-t-elle. James, passe-nous les bottes.

Ce dernier posa le sac à ses pieds, en fit glisser la fermeture Éclair et en sortit trois paires de cuissardes en caoutchouc équipées de bretelles. Les trois complices s'assirent au bord du fossé pour ôter leurs baskets.

— Aow! mes bottes puent horriblement, gémit James. Où tu les as trouvées ?

— Kyle les a portées pendant sa punition, expliqua Bethany. Ses pieds ont eu le temps de macérer, là-dedans.

— Tiens, attrape ça, dit Lauren en lançant à son frère une lampe frontale équipée d'un bandeau élastique. Ne l'utilise que si c'est absolument nécessaire, et le moins longtemps possible.

James passa l'accessoire autour de sa tête, actionna brièvement l'interrupteur pour vérifier le fonctionnement de l'ampoule, puis se laissa lentement glisser dans le fossé rempli d'eau boueuse. Immergé jusqu'à mi-cuisse, il sentit ses semelles s'enfoncer de vingt centimètres dans la vase. Il posa une main sur la berge pour conserver son équilibre.

Bethany se tordait nerveusement les mains.

— Je ne suis pas sûre qu'on devrait faire ça... murmura-t-elle.

James entrevit une occasion inespérée de mettre un terme au plan insensé de sa sœur.

— Je suis d'accord, s'empressa-t-il d'ajouter. C'est trop risqué. En plus, vu la mentalité des instructeurs, Jake et Rat risquent d'être punis à cause de nous.

— On n'est pas venus jusqu'ici pour abandonner au dernier moment, trancha Lauren.

— J'ai la trouille, mais elle a raison, dit Bethany.

— Et toi, James, tu ferais mieux de la rassurer au lieu d'en rajouter.

Les deux filles se donnèrent la main et pénétrèrent à leur tour dans le fossé. Bethany semblait éprouver des difficultés à se mouvoir sur le sol instable, mais Lauren, accoutumée à travailler dans le collecteur, glissait habilement sur le tapis de vase.

Ils parcoururent tant bien que mal une dizaine de mètres puis s'immobilisèrent près de la clôture du camp, devant un entrelacs de barbelés. James constata avec inquiétude que ses cuisses étaient déjà tétanisées.

Lauren alluma sa lampe frontale.

— Ça a été renforcé depuis la dernière fois, chuchota-t-elle. Je pensais qu'on pourrait passer en repoussant les fils de fer, mais on va devoir les découper.

James lui tendit le sac d'où elle sortit une paire de pinces coupantes.

— C'est du vandalisme, fit-il observer. Tu sais ce que ça peut nous coûter ?

— Lâche-moi avec tes remarques négatives. J'essaye de réfléchir.

Après avoir longuement étudié l'obstacle, elle sectionna un seul brin métallique, tira vivement sur l'une des extrémités et dégagea une ouverture d'une cinquantaine de centimètres de largeur.

— Bon, il va falloir se baisser. On va probablement se foutre de la boue partout, mais ça devrait suffire. On remettra tout en place une fois entrés, et personne ne pourra savoir qu'on est passés par là.

James, qui n'était pas d'humeur à adresser des compliments à sa sœur, se contenta d'un hochement de tête approbateur.

Bethany fut la première à franchir le périmètre du camp. Lauren lui passa les sacs puis la rejoignit. James ferma la marche.

Craignant de s'exposer au champ d'une caméra de surveillance, ils poursuivirent leur progression à l'intérieur de la tranchée immergée, courbés en avant, la visière de leur casquette rabattue sur le visage.

Soixante-dix mètres plus loin, Lauren s'adossa à la paroi boueuse et braqua brièvement sa lampe frontale vers un minuscule bâtiment de béton.

— On y est, lâcha-t-elle. C'est le poste électrique.

Ils se hissèrent hors du fossé et coururent jusqu'à la construction. Lauren et Bethany descendirent les bretelles de leurs cuissardes dégoulinantes de vase.

— James, enlève tes bottes et remets tes baskets.

— Pourquoi ? Il faudra bien qu'on retourne dans la tranchée pour sortir.

— Non. L'instructeur de permanence rappliquera ici

dès qu'il découvrira que les caméras ont cessé de fonctionner. On en profitera pour courir jusqu'au bâtiment du dortoir. Dès qu'on aura distribué les paquets aux élèves, on sortira par le portail.

— Et qu'est-ce que tu fais du système d'alarme ?

— Rien à craindre, dit Bethany. Lorsque le voyant s'allumera dans la salle de contrôle, l'instructeur de permanence sera toujours dans le local électrique.

— Mais l'alerte n'est-elle pas répercutée au poste de sécurité à l'entrée du campus ?

— Pas selon nos informations, répondit Lauren.

James ôta ses bottes et sortit ses baskets du sac de toile.

— Vous voulez dire que vous n'êtes pas certaines à cent pour cent ? Tu m'as *juré* que vous aviez étudié tous les détails de l'opération !

— Allons, tu sais bien que le risque zéro n'existe pas. Et puis, je voulais être sûre que tu viendrais avec nous.

James était hors de lui. Ainsi, Lauren ne s'était pas contentée de le faire chanter. Elle lui avait délibérément menti. Il se planta devant elle.

— Je te le ferai payer. Tu es complètement dingue !

— Si tu fais ça, je raconterai tout à Kerry.

— Mais tu as juré sur la tombe de maman !

— Tu raconteras quoi ? demanda Bethany.

— Occupe-toi de tes oignons, répliquèrent James et Lauren avec une parfaite simultanéité.

Bethany savait que James ne l'avait jamais appréciée, mais la réaction de Lauren était à ses yeux plus étonnante.

— Je vous rappelle qu'on est dans le camp d'entraînement, lança-t-elle sur un ton aigre. Ça vous dérangerait de garder vos disputes familiales pour plus tard ?

James et Lauren observèrent un silence embarrassé.

— OK, dit cette dernière. Range les bottes dans le sac. James, il y a une boîte en plastique dans la poche de devant. Prends-la et suis-moi.

Le frère et la sœur déchiffrèrent le panneau jaune et noir vissé à la porte métallique du poste électrique.

RISQUE D'ÉLECTROCUTION
640 VOLTS
RÉSERVÉ AU PERSONNEL
DANGER DE MORT

— Tu avais parlé d'un simple boîtier à fusibles, s'étrangla James.

Lauren haussa les épaules.

— Contente-toi de ne rien toucher quand on sera à l'intérieur.

Alors, James remarqua l'énorme cadenas qui maintenait la porte verrouillée. Un large sourire illumina son visage.

— Tu n'as pas pris ton pistolet à aiguille. On n'a aucun moyen d'entrer.

— Je te dis que j'ai tout prévu, répliqua Lauren en sortant une clé de la poche de son jean. On peut dire merci à Martin. Elle était rangée avec les plans du système électrique.

Ils pénétrèrent dans le local et découvrirent un transformateur de la taille d'une machine à laver, qui émettait un bourdonnement grave. Le mur opposé était occupé par un panneau électrique.

— Passe-moi le tournevis, dit Lauren.

James, les doigts engourdis par leur séjour dans l'eau boueuse du fossé, ouvrit le couvercle de la petite boîte en plastique.

— Lequel tu veux ? demanda-t-il en en examinant le contenu.

Lauren lui adressa un regard méprisant puis se saisit de l'outil.

— Celui qui ressemble à un tournevis, Einstein. Éclaire-moi et ne bouge pas la tête pendant que je bosse.

Elle examina les vieilles étiquettes plastifiées disposées sous les rangées d'interrupteurs et de fusibles : DOUCHES, LUMIÈRES (INT), LUMIÈRES (EXT), LUMIÈRES (PARCOURS COMBAT), CHAUFFE-EAU, BUGGY (RECHARGE). Elle localisa rapidement le circuit VIDÉO DE SURVEILLANCE.

— C'est parti, murmura-t-elle. L'idée, c'est de remplacer le fusible en service par un fusible grillé. Quand l'instructeur de permanence se pointera, il pensera que le circuit a disjoncté à cause d'une surtension.

Elle se pencha pour déchiffrer les inscriptions figurant sur le coupe-circuit.

— Quinze ampères, taille C.

Elle fouilla dans la boîte à outils et choisit un petit

cylindre orné d'une étiquette verte. Elle fit basculer l'interrupteur, démonta le fusible à l'aide du tournevis et y plaça la pièce défectueuse. Lorsqu'elle rétablit le courant, un voyant rouge confirma la mise hors tension du circuit vidéo.

— Jusqu'ici, tout va bien.

James éteignit sa lampe frontale et suivit Lauren hors du poste électrique. Bethany avait eu les plus grandes difficultés à fourrer les cuissardes dans le sac. Ses mains et ses avant-bras étaient maculés de boue.

— Ça a marché ? demanda-t-elle.

Lauren consulta sa montre.

— Comme sur des roulettes. Il est deux heures trente et une. Selon mes estimations, il nous reste deux minutes avant que l'instructeur vienne remplacer le fusible.

4. Sur la bouche

Le programme d'entraînement était loin d'être une partie de plaisir. Bien sûr, chaque participant avait la possibilité de renoncer à tout moment, mais seules les recrues capables de venir à bout de ce stage intensif de cent jours obtenaient leur accréditation d'agent opérationnel. Les instructeurs étaient chargés d'éprouver les limites physiques et psychologiques de leurs élèves en les soumettant sans pitié à la fatigue, à la douleur, à la faim et à la peur. L'accomplissement de ces épreuves garantissait la capacité des agents à affronter sans flancher les situations les plus extrêmes rencontrées lors de véritables missions d'infiltration.

À l'abri d'un buisson, James observait le cube de béton aveugle où dormaient les élèves. Les nuits passées en ce lieu sinistre, deux ans plus tôt, lui revinrent en mémoire : la sensation d'épuisement absolu, les ressorts saillants du matelas, la pluie qui dégoulinait par les trous de rouille du toit de tôle ondulée.

— Je n'ai vu personne sortir, chuchota Lauren.

— C'est bizarre, dit Bethany. L'instructeur de permanence a *forcément* remarqué que les caméras étaient tombées en rade. Soit il a réagi plus vite qu'on ne le pensait, soit il est encore à l'intérieur.

Les trois complices rampèrent à couvert jusqu'à la double porte métallique. Lauren alluma sa lampe frontale. Une fillette d'une dizaine d'années aux jambes osseuses était adossée au mur de béton. Elle se tenait sur une jambe, les mains sur la tête. La moindre entorse au règlement exposait les recrues à de telles punitions.

— Qui est là ? demanda-t-elle, visiblement effrayée.

— Natasha, c'est moi, Lauren.

— Va-t'en, gémit-elle. Large peut débarquer ici à tout moment, et il y a une caméra de surveillance braquée sur nous.

— Ne t'inquiète pas. On a neutralisé le circuit vidéo. Il est probablement dehors en train de le réparer.

Natasha laissa retomber ses mains sur ses cuisses, posa le pied au sol puis commença à masser son mollet douloureux.

— Large est toujours à l'intérieur, dit-elle. Il n'a pas pu sortir sans que je le voie.

— Ça craint… murmura Lauren.

— Pourquoi il n'est pas allé vérifier le poste électrique ? s'étonna Bethany.

— Il s'est peut-être endormi, suggéra James.

— Mais qu'est-ce que vous foutez là, tous les trois ? demanda Natasha.

— Mission humanitaire, lança Lauren. On ne peut pas

vous faire évader, mais on a apporté de la bouffe et des sous-vêtements propres pour vous remonter le moral.

— C'est génial ! dit Natasha, rebondissant joyeusement sur ses talons. Vous êtes carrément gonflés !

Bethany ouvrit son sac et en tira un sachet en plastique.

— Tiens. Il y a trois Snickers, une barre de céréales, deux bricks de jus d'orange, deux slips et deux paires de chaussettes. N'oublie pas de te débarrasser discrètement des emballages avant que les instructeurs ne tombent dessus.

Les larmes aux yeux, Natasha ouvrit le paquet, déchira l'emballage d'un Snickers et mordit dedans à pleines dents.

— Mmmh ! j'ai tellement faim. Aujourd'hui, on a couru pendant trois heures autour du parcours combat, et ils nous ont servi une espèce de soupe verte pleine de flotte au dîner.

— Ah oui, je me souviens de cette saloperie, dit James. J'ai jamais pu l'avaler, même quand je crevais la dalle. Bon, Lauren, qu'est-ce qu'on fait ?

— Large doit pioncer dans la salle de contrôle, dit Lauren. Je ne vois pas d'autre possibilité.

— Ça fout notre plan en l'air, fit observer Bethany. Il devrait se trouver à l'autre bout du camp. Si on entre dans le dortoir, il risque de nous tomber dessus à tout moment.

Quelques instants plus tôt, James aurait exploité cette faille stratégique pour persuader ses complices de renoncer à leur plan, mais ce retour sur le théâtre de ses premiers pas à CHERUB et la joie de Natasha l'avaient profondément touché.

— Ce serait trop bête d'avoir fait tout ça pour rien, dit-il. Je suis prêt à tenter le coup, si vous êtes partantes.

Lauren et Bethany échangèrent un regard stupéfait puis hochèrent lentement la tête. James entrouvrit la porte du bâtiment et se glissa furtivement dans le couloir obscur. Il flottait dans l'air une odeur familière de sueur, d'antiseptique et de béton humide.

Il progressa en silence jusqu'à la salle de contrôle et jeta un œil à l'intérieur. Norman Large, recroquevillé sur un canapé défoncé, dormait à poings fermés. Comme prévu, les six moniteurs empilés sur le bureau ne diffusaient plus qu'une image uniformément noire.

Depuis qu'il avait été rétrogradé du rang d'instructeur en chef à la fonction de simple assistant, un an plus tôt, Large s'était laissé aller. Il portait une barbe mal entretenue et avait pris une douzaine de kilos.

— Pas les poissons panés, gémit-il dans son sommeil.

Apeuré, James regagna le couloir.

— Il faut vraiment être grave pour faire des cauchemars sur les poissons panés, chuchota Lauren, fendue jusqu'aux oreilles.

— Allez, on passe à l'action. Distribuez les paquets aussi vite que possible. Si Large se réveille, on est morts. Moi, je surveille le couloir.

Les neuf élèves âgés de dix à douze ans qui occupaient le dortoir étaient profondément endormis, littéralement assommés par soixante-trois jours d'entraînement impitoyable. Lauren se rua vers le lit de Rat et lui secoua énergiquement l'épaule. Bethany, elle, fila droit vers la couchette de Jake.

Le boîtier surmontant l'issue de secours jetait dans la pièce une faible lueur verdâtre. Lorsqu'il vit Bethany étreindre son frère, James, qui n'avait pourtant rien d'un sentimental, sentit sa gorge se serrer.

— Qu'est-ce que tu fous là ? s'étrangla le petit garçon en saisissant le paquet que lui tendait sa sœur. Oh, merde, un Snickers !

Jake, entre le rire et les larmes, engloutit la barre chocolatée. Lauren étreignit Rat avec plus de retenue puis fit le tour du dortoir pour réveiller les autres recrues et leur distribuer les colis.

Les neuf élèves s'assirent sur leurs lits pour dévorer leurs rations et engloutir le contenu des bricks de jus d'orange. Malgré leurs ecchymoses et l'état de fatigue extrême dans lequel ils se trouvaient, ils rayonnaient de bonheur.

Deux garçons à qui James avait donné des cours de mathématiques vinrent l'interroger sur les derniers événements survenus au campus. Lauren rassembla les emballages afin de faire disparaître toute trace de leur intrusion.

Des sons inarticulés résonnèrent dans la salle de contrôle. James sursauta.

— Allez, on lève le camp, chuchota-t-il.

Bethany et Jake échangèrent une dernière accolade. Lauren, un sac-poubelle à la main, marcha vers son frère, puis se retourna pour adresser à Rat un dernier regard. Soudain, elle se ravisa et se précipita vers le garçon pour poser sur sa joue un ultime baiser.

Stupéfait, Rat tourna la tête à contretemps et se retrouva face à face avec sa camarade. Cette dernière contempla un instant ses yeux noisette un peu gonflés par le manque de sommeil, puis, sans l'avoir prémédité, posa ses lèvres sur les siennes. D'un point de vue strictement technique, ils n'étaient pas sortis ensemble, mais ce baiser revêtait un caractère incontestablement sentimental.

Lauren, bouleversée, avait l'impression étrange que son cerveau effectuait des sauts périlleux sous sa boîte crânienne.

— Tu vas y arriver, balbutia-t-elle, au bord des larmes. Je suis sûre que tu feras un super agent.

Elle jeta un regard circulaire à la pièce et lança :

— Et j'espère que vous irez tous jusqu'au bout.

— Ne laissez pas ces salauds vous démolir, ajouta James.

Les trois complices jetèrent un œil vers la salle de contrôle afin de s'assurer que Mr Large était toujours assoupi, franchirent la double porte, saluèrent Natasha, puis coururent vers le portail.

— C'était trop cool, sourit James. C'est vachement agréable de faire plaisir aux gens, finalement.

— Pourvu que Jake n'abandonne pas, dit Bethany d'une voix étranglée.

— Je ne me fais pas de souci pour lui, Bethany,

assura le garçon, pris d'un soudain élan de sympathie à l'égard de celle qu'il avait toujours considérée comme une insupportable bêcheuse.

— C'est encore un petit garçon, soupira-t-elle.

— Mais c'est déjà un dur à cuire.

L'incursion dans le dortoir avait provoqué un étrange renversement des rôles. James avait pris les choses en main. Bethany était dans tous ses états et Lauren avait tout bonnement quitté la planète.

— Je viens d'embrasser un *garçon* sur la bouche, balbutia-t-elle comme pour se persuader qu'elle n'avait pas rêvé.

— Il fallait bien que ça arrive un jour, dit James.

Lauren bascula la tête en arrière et contempla les étoiles.

— Un garçon, répéta-t-elle, partagée entre l'exaltation et le dégoût.

Le trio s'immobilisa devant le portail du périmètre grillagé.

— Allô Lauren, ici la Terre ! lança James en passant la paume de sa main devant les yeux de sa sœur. Reprends-toi, ma petite. Dès que j'aurai poussé cette grille, l'alarme se déclenchera et Large émergera du paradis des poissons panés. Mieux vaut ne pas trop traîner dans le coin.

— OK, je suis prête, murmura Lauren, le regard dans le vague.

À l'instant où James imprima une pression sur le portail, une sirène stridente retentit et une batterie de projecteurs illumina le périmètre du camp. Privilégiant la vitesse à la discrétion, les trois complices délaissèrent le sentier forestier et coupèrent à travers le terrain de football.

Six minutes plus tard, à bout de souffle, ils atteignirent l'entrée de service du bâtiment principal dont Lauren avait maintenu la porte ouverte à l'aide d'une cale de bois.

Ils se faufilèrent sous la cage d'escalier, ôtèrent leurs baskets trempées puis gravirent les marches quatre à quatre jusqu'au sixième étage. James souhaita bonne nuit aux deux filles. Elles poursuivirent leur ascension vers le huitième palier.

Il restait consterné par la trahison de Lauren, mais il avait le sentiment d'avoir agi pour une bonne cause.

Il ôta son blouson et son pantalon, se laissa tomber dans un pouf et alluma la télé, complètement vidé. Il était trois heures six. Il n'avait pas fermé l'œil de la nuit, et il lui restait moins de quatre heures avant sa séance de gym matinale. Il lui fallait encore prendre une douche et mettre à tremper ses vêtements boueux avant de se glisser dans son lit.

Mort de soif, il ouvrit le réfrigérateur et hésita longuement entre un Pepsi et un Sprite. Soudain, le téléphone posé sur la table de nuit sonna.

Or, les téléphones ne sonnent pas à trois heures six...

James souleva délicatement le combiné. Il s'attendait à entendre Lauren ou Bethany, désireuse de commenter les événements qui venaient de se dérouler.

— Bonjour, bonjour, fit une voix masculine teintée d'accent écossais.

Le cœur de James bondit dans sa poitrine. C'était Mac, le directeur de CHERUB et doyen du personnel d'encadrement du campus.

— Oh! gémit le garçon en simulant un bâillement. Vous m'avez réveillé.

— Ah oui, vraiment? ricana le docteur McAfferty. Alors il faut croire que tu souffres de somnambulisme. Pour ta gouverne, cette nuit, tu t'es baladé dans les bois, tu es entré par effraction dans le camp d'entraînement et dans le dortoir des recrues, puis tu es retourné te coucher.

— Mais comment… bredouilla James, avant de frapper du poing sur la moquette.

— J'ai assisté en direct à vos exploits sur le réseau de surveillance auxiliaire. Je vous convoque, toi, ta sœur et Bethany Parker, dans mon bureau, à neuf heures et demie précises. Est-ce que c'est clair?

— Oui, monsieur, répondit James sans desserrer les mâchoires.

5. Une belle leçon d'humanisme

Le docteur McAfferty avait toujours pris un malin plaisir à prolonger les souffrances des élèves fautifs convoqués dans son bureau. Les trois membres du commando clandestin patientaient dans l'antichambre depuis plus d'une demi-heure. James tambourinait nerveusement sur l'accoudoir de son fauteuil en skaï. Les filles, au comble de l'anxiété, étaient incapables de rester immobiles plus de cinq secondes. Face à eux, l'assistante de Mac tapait des lettres et prenait des appels. Dès qu'ils osaient faire le moindre bruit, elle jetait un regard furibond au panneau *SILENCE* qui surmontait l'horloge murale.

Soucieux de se montrer sous leur meilleur jour, ils avaient revêtu des uniformes impeccables : leurs rangers étaient cirées et leurs pantalons de treillis soigneusement repassés. Ils portaient le T-shirt réglementaire – gris pour Bethany, bleu marine pour James, noir pour Lauren.

Plus James réfléchissait à la situation dans laquelle il

s'était fourré, plus grandissait son ressentiment à l'égard de sa sœur.

Ils furent invités à entrer dans le bureau peu avant onze heures. La pièce, avec sa cheminée rustique, sa longue table de chêne et ses murs recouverts de rayonnages du sol au plafond, évoquait une vieille demeure aristocratique. Mac était occupé à disposer des livres dans un grand carton de déménagement.

James était stupéfait.

— Vous n'étiez pas censé rester en fonction quelques mois de plus ?

Le directeur considéra avec tristesse la bibliothèque à moitié vide.

— Vous devrez me supporter jusqu'à la fin du mois de juillet, confirma-t-il. Mais je préfère m'y prendre à l'avance. Je ramène mes affaires à la maison petit à petit.

— Il paraît que vous auriez bien aimé rester en poste, dit Bethany.

— Je dois me retirer à l'âge de soixante-cinq ans, comme tout fonctionnaire du gouvernement. En plus, CHERUB a besoin d'un directeur en pleine forme, un homme ou une femme jeune, capable d'exercer à la fois les fonctions de pédagogue, de politicien et de maître espion. J'avoue me sentir moins énergique qu'autrefois, et mes remplaçants sont déjà sur les rangs.

— Ah oui ? demanda Lauren. Qui ça ?

Depuis l'annonce de la retraite imminente de Mac, le campus bruissait des rumeurs les plus folles quant à l'identité du nouveau directeur.

Il adressa à ses agents un regard étrange, lourd de secrets, avant de parler d'une voix ferme.

— Asseyez-vous. Nous ne sommes pas ici pour discuter de mon avenir, mais du vôtre, et en particulier des conséquences de votre petite escapade de la nuit dernière.

— Comment avez-vous su ? demanda James.

Mac esquissa un sourire.

— Un employé administratif a vu Martin Newman voler la clé du transformateur.

Lauren et Bethany se raidirent sur leur chaise.

— Comme tu le sais, Bethany, poursuivit Mac, le jeune Martin éprouve des sentiments pour toi. J'ai eu un peu de mal à le faire parler. Il ne s'est décidé que lorsque j'ai menacé de le suspendre définitivement de missions d'infiltration. J'ai fait fouiller vos chambres aux heures de cours et j'ai trouvé le plan de Lauren.

Il posa sur le bureau une photocopie format A4.

— Dès que nous avons compris que votre projet ne mettait pas en cause la sécurité du campus, nous avons décidé de vous laisser agir. C'est passionnant pour nous de découvrir de quoi nos agents sont capables.

James se pencha légèrement vers le bureau pour étudier le plan. C'était un méli-mélo de diagrammes, de schémas, de listes d'équipement et de détails chronologiques tracés de l'écriture soignée de Lauren. Un encadré attira son attention :

JAMES : *POUR OU CONTRE ?*

POUR :
Amoureux de Kerry = obéira aux ordres si on le fait chanter.
Musclé = peut porter le matériel.
CONTRE :
Déteste Bethany = engueulade possible.
Un peu con sur les bords.

— Qu'est-ce que c'est que ce bor...

James parvint à retenir le juron qui lui brûlait les lèvres. Lauren, les joues écarlates, se recroquevilla sur sa chaise. Mac sourit. Sa stratégie avait produit l'effet escompté.

— James, tu peux retourner en cours, dit-il. Je t'adresse un avertissement de principe, mais de mon point de vue, tu ne portes aucune responsabilité dans cette affaire. Ta sœur ne t'a pas donné le choix. C'est elle et son amie Bethany qui méritent d'être sévèrement punies.

Aux yeux de James, la décision de Mac était une maigre consolation. La lecture de la liste rédigée par Lauren lui avait fait l'effet d'un coup de massue. Il aimait sa sœur plus que tout au monde et n'aurait jamais imaginé qu'elle pouvait éprouver un tel mépris à son égard. Sans un mot, il quitta sa chaise et se dirigea vers la porte. Lauren se dressa d'un bond.

— C'est pas ce que tu crois... gémit-elle.

— Assieds-toi immédiatement, Lauren Adams, ordonna Mac. Je me mets rarement en colère, mais tu commences sérieusement à me taper sur les nerfs.

La jeune fille obéit sans discuter. Jamais elle n'avait entendu son directeur parler à quiconque sur un ton aussi ferme. Pourtant, de son point de vue, l'incursion de la nuit passée semblait moins grave que l'agression à coups de pelle dont elle s'était rendue coupable, lors de sa session de programme d'entraînement, sur la personne de l'instructeur Norman Large.

— J'ai l'habitude de régler toutes sortes de problèmes sur ce campus, gronda Mac. Des agents qui se battent, des élèves qui ne rendent pas leurs devoirs ou qui bavardent en classe… Tout ça, c'est de votre âge, et je peux le comprendre, car je crois que tous les adultes sont passés par là. Mais s'il y a une chose que je ne tolère pas, c'est le recours au chantage. Bien sûr, vous êtes entraînés à manipuler l'ennemi lors des opérations d'infiltration, mais il est absolument inacceptable d'utiliser ces compétences pour forcer vos camarades à agir contre leur gré. Bethany Parker, tu as exploité les sentiments de Martin Newman à ton égard. Tu lui as fait certaines promesses que tu n'avais aucune intention de respecter. Quant à toi, Lauren, tu es tombée encore plus bas : tu as fait pression sur ton propre frère pour le contraindre à s'embarquer dans une opération clandestine qui aurait pu lui valoir de graves problèmes.

— Je voulais juste aider Jake et ses camarades d'entraînement, bredouilla Lauren.

— Bravo, belle leçon d'humanisme ! ironisa Mac. Alors, selon toi, cette bonne cause justifiait l'usage de la menace et de l'intimidation ?

— Moi, je ne savais même pas qu'elle faisait chanter James, lança Bethany.

Lauren se tourna vers sa meilleure amie.

— Eh ! tu manques pas d'air. C'est toi qui es venue me voir avec ce plan pratiquement bouclé.

— Tu sais, Lauren, dit Mac, je te considère comme l'un de nos meilleurs agents. Tu l'as d'ailleurs démontré cette nuit, d'une certaine façon... Tu es l'un des plus jeunes T-shirts noirs de l'histoire de CHERUB et je ne pense vraiment pas que tu aies mauvais fond. Seulement, je crois que ton ascension fulgurante t'est un peu montée à la tête. En guise de punition, vous me ferez toutes les deux quatre cents tours de stade. Ça vous donnera le temps de réfléchir à la nécessité de respecter les règles, le matériel du campus et — plus important encore —, à la façon indigne dont vous avez traité James et Martin. Vous leur adresserez des excuses écrites dans les plus brefs délais. Enfin, votre argent de poche du mois prochain servira à remplacer les barbelés que vous avez endommagés.

Quatre cents tours de piste constituaient une punition exceptionnellement lourde. Les deux jeunes filles, d'ordinaire si promptes à faire des commentaires, en restèrent bouche bée.

Mac esquissa un sourire.

— Je ne vous demande pas de courir cette distance

en une seule fois, évidemment. Je vous laisse trois semaines. À raison de vingt tours par jour, soit huit kilomètres, vous pourrez même vous offrir un jour de repos.

Lauren sentit sa gorge se serrer. Désormais rompue aux épreuves physiques les plus difficiles, elle ne doutait pas de ses capacités à relever ce défi. En revanche, elle ne parvenait pas à chasser de son esprit la détresse lue dans le regard de James, quelques minutes plus tôt, lorsqu'il s'était levé pour quitter la pièce.

Elle craignait de lui avoir brisé le cœur.

6. Le troisième agent

TROIS CENT VINGT TOURS DE PISTE PLUS TARD

En des circonstances ordinaires, Lauren n'aurait éprouvé aucune difficulté à courir huit kilomètres, mais la répétition rendait l'épreuve plus délicate que prévu. Sans possibilité de récupérer, les courbatures et les petits bobos s'étaient accumulés, et les cinquante minutes de course quotidiennes avaient tourné au martyre. Meryl Spencer, qui exerçait parallèlement les fonctions de responsable de formation et d'instructeur d'athlétisme, lui avait suggéré de parcourir la distance en deux sessions, avant et après les cours, et de ne pas hésiter à économiser ses forces en trottinant ou en marchant si nécessaire.

L'application de ces conseils rendait la punition plus supportable, mais mobilisait deux heures de son temps quotidien, alourdissant considérablement un planning déjà surchargé de devoirs, de séances d'entraînement au combat et d'exercices sur le terrain.

Pour couronner le tout, les ascenseurs du bâtiment

principal avaient été neutralisés afin de permettre aux techniciens de maintenance de procéder à leur entretien annuel. Lauren et Bethany atteignirent le palier du sixième étage dans un état d'épuisement absolu. Elles venaient de prendre une douche dans les vestiaires après leur course du soir. Leurs cheveux étaient mouillés. Lauren tendit à son amie le sac contenant sa serviette humide et sa tenue d'athlétisme.

— Tu peux le déposer dans ma chambre ? J'ai changé d'avis. Je vais aller parler à James.

— Tu ne devrais pas, avertit Bethany. Laisse-le mijoter encore un peu. Dès qu'il aura besoin de toi, il viendra te manger dans la main.

— Tes conseils, tu peux te les garder. Tu n'as pas compris que c'est ce genre d'attitude qui nous a foutues dans cette merde ?

— Quelle attitude ? s'étonna Bethany, cueillie à froid par la réaction de sa camarade.

— Tu passes ton temps à anticiper la réaction des gens, dit Lauren. Tu penses avec cinq coups d'avance. Tu es trop calculatrice.

— C'est bon, ça va ! File-moi ce putain de sac. Mais ne viens pas te plaindre si ça tourne au vinaigre.

Les deux filles étaient suffisamment proches pour échanger sans se fâcher de telles mises au point. Il leur arrivait de se disputer, mais leurs explications n'avaient jamais remis en cause leur amitié.

— Tu ne me souhaites pas bonne chance ? demanda Lauren.

— Si, si, répondit Bethany. Mais si Mac ne nous avait pas confisqué notre argent de poche, je serais prête à parier que tu vas te prendre un mur.

— Merci pour tes encouragements, grinça son amie avant de s'engager dans le couloir menant à la chambre de son frère.

Elle s'immobilisa devant la porte puis, saisie d'une soudaine bouffée d'angoisse, se surprit à espérer qu'il ne soit pas là. Craignant d'être éconduite sans pouvoir placer un mot, elle prit soin de ne pas frapper ses trois coups habituels.

— Quoi, qu'est-ce qu'il y a ? demanda James sur un ton agressif, en quittant des yeux son livre de cours.

Lauren entra dans la pièce la tête basse.

— Tu es vraiment fâché, alors ?

Aux yeux de James, c'était une question complexe qui méritait réflexion.

— J'ai un devoir de russe à pondre pour demain matin, grogna-t-il. Je n'ai pas de temps à te consacrer pour le moment.

Lauren avait passé la journée à préparer ses arguments, mais l'attitude glaciale de son frère semait le trouble dans son esprit.

— J'ai dû te présenter mes excuses une *cinquantaine* de fois, James. Je t'ai même acheté ce jeu PlayStation dont tu rêvais. Qu'est-ce que tu veux de plus ?

— Je n'attends rien de toi. Je t'ai dit de rapporter le jeu à la boutique.

Depuis sa convocation dans le bureau de Mac, Lauren

n'avait cessé de se reprocher le tour lamentable qu'elle avait joué à son frère. Le refus de ce dernier d'accepter ses excuses la plongeait dans un désespoir profond.

— Tu n'es pas un ange non plus, bredouilla-t-elle. Tu m'as souvent fait des crasses, toi aussi. Tu as cassé mes jouets. Tu m'as *même* frappée.

— C'est vrai, j'ai un caractère de chien. Mais je n'ai jamais réuni mes potes pour comploter contre toi, et je ne crie pas sur les toits que tu es complètement débile.

— Mais laisse-moi t'expliquer, au moins. J'imagine ce que tu as pu ressentir en lisant toutes mes conneries noir sur blanc, mais je te jure que je ne pensais qu'à filer un coup de main à Jake et à Rat. J'essayais de mettre au point un plan efficace. J'ai écrit tout ça comme ça me venait. Bethany n'a même pas lu ce foutu bout de papier.

— Et tu n'as pas pensé une seconde à ce que je pourrais ressentir, ou à la punition qui me pendait au nez.

— J'ai déconné, James, gémit Lauren, et je suis vraiment, vraiment désolée. Je ne me suis même jamais sentie aussi mal de toute ma vie. Et puis tu oublies un peu vite que j'ai été punie. Je suis complètement crevée, j'ai mal aux jambes et des ampoules géantes aux talons.

James esquissa un sourire mauvais.

— Ah ! ça y est, j'ai enfin compris ce que tu fous dans ma chambre, lança-t-il. C'est Kyle qui t'a forcée à venir me voir, pas vrai ?

Lauren ignorait totalement où son frère voulait en venir.

— Qu'est-ce que Kyle a à voir là-dedans ? Il est revenu de mission il y a une semaine. J'ai dû le croiser une fois dans un couloir. Je l'ai félicité pour son T-shirt noir, et puis c'est à peu près tout.

— Tu essaies de me faire croire que tu n'es pas au courant, pour la mission ? Tu vas me dire que tu t'es pointée ici par le plus grand des hasards, une heure après le briefing de cet après-midi ?

— Je ne capte pas un mot de ce que tu racontes. Je suis simplement venue te demander pardon encore une fois. Finalement, je crois que Bethany avait raison. Je n'aurais même pas dû tenter ma chance. Je voulais te dire que tu me manquais, mais si tu ne me crois pas, qu'est-ce que tu veux que j'y fasse ?

— Écoute, comprends-moi. J'ai du mal à avaler ce que tu m'as fait mais…

James constata avec un vif déplaisir que les arguments de sa sœur commençaient à produire leur effet. Il se dressa d'un bond et tendit l'index vers le sol, au centre de la chambre.

— Mets-toi là, ordonna-t-il.

Lauren, qui ignorait s'il allait la prendre dans ses bras ou la gifler sans ménagement, obéit sans discuter.

— Des fois, tu vois, on croit connaître les gens, dit le garçon en posant ses mains sur les épaules de sa sœur. Moi, par exemple, je *pensais* vraiment tout savoir de toi. Alors, forcément, je suis tombé de haut.

Lauren sentit un frisson parcourir sa colonne vertébrale. Le regard de James était sombre et froid.

Elle avait l'impression qu'il essayait de scruter son âme. Elle pouvait désormais ressentir *physiquement* la douleur qu'elle lui avait causée.

— Est-ce que tu peux me regarder dans les yeux et me jurer que Kyle ne t'a pas parlé de ce briefing ?

— Je ne sais même pas de quoi tu parles. Qu'est-ce qui se passe ? Explique-moi. Je te jure, tu me fous la trouille.

James prit soudain conscience que son comportement devait avoir quelque chose d'inquiétant.

— Excuse-moi, dit-il avant de passer affectueusement une main dans les cheveux de sa sœur. J'imagine qu'il doit s'agir d'une coïncidence. En tout cas, je te conseille de ne pas me mentir.

Lauren se frappa frénétiquement les tempes.

— Combien de fois il va falloir que je te le répète ?

— OK, je te crois. Kyle et moi, on a participé à une réunion avec Zara Asker, cet après-midi, au centre de contrôle des missions. On part en opération dans une semaine, et on a besoin d'un troisième agent pour assurer nos arrières. Quelqu'un de plus jeune que nous, une fille de préférence. Zara a tout de suite pensé à toi, évidemment, mais je lui ai dit que je m'y opposais.

Lauren secoua la tête.

— Ah ben merci.

— Quand je lui ai expliqué qu'on était fâchés, elle s'est rangée à mon avis. Elle nous a demandé de réfléchir à une remplaçante. J'ai pensé à Bethany, à Mélanie, à Chloé et à toutes tes autres copines. Et puis finalement, je me suis dit que je préférais encore partir en mission avec toi.

Laure se sentait vaguement flattée, mais elle fit tout son possible pour ne pas le laisser paraître.

— Kyle a tout fait pour me persuader de me réconcilier avec toi, poursuivit James. C'est pour ça que j'ai trouvé ta visite franchement louche, tu piges ?

— OK, dit Lauren en se tordant nerveusement les mains, les yeux braqués sur le sol. Alors ? Qu'est-ce que tu as décidé ?

— On a rendez-vous pour un second briefing demain à onze heures. Si tu veux partir en mission avec nous, je te conseille de ne pas être en retard.

7. Sous peine de mort

Le lendemain matin, Lauren et James se retrouvèrent devant le bâtiment principal puis, soucieux de ne pas rouvrir les vieilles blessures, marchèrent en parlant de la pluie et du beau temps en direction du centre de contrôle.

Comme à l'ordinaire, le système sophistiqué de reconnaissance rétinienne était hors service. Une affichette manuscrite scotchée à la porte vitrée décrivait une mesure de sécurité plus primitive :

TOUT AGENT NON ACCRÉDITÉ
QUI OSERA PÉNÉTRER EN CES LIEUX
EFFECTUERA DES TOURS DE STADE
JUSQU'À CE QU'IL EN CRACHE SES POUMONS.

Ils poussèrent la porte du bureau situé à l'extrémité d'un long couloir en courbe.

— Tiens, voilà le couple maudit ! s'exclama Zara Asker, un sourire maternel sur le visage. Alors, ça y est, vous êtes réconciliés ?

Kyle Blueman, seize ans, était avachi dans un canapé de velours, les talons posés sur une table basse à plateau de verre. Il consultait un dossier à chemise beige contenant des notes de surveillance réalisées par les forces de police. Il avait considérablement grandi au cours des derniers mois. Avec ses cheveux décolorés et sa barbe naissante, l'éternel petit garçon faisait désormais presque son âge.

Joshua, qui jouait sous le bureau, poussa un cri perçant puis se précipita vers James les bras grands ouverts.

— James ! James ! James ! scanda joyeusement le garçonnet de quatre ans.

Son héros le souleva du sol.

— Dis donc, tu es devenu drôlement lourd !

— Désolée, dit Zara, mais je n'ai personne pour le garder. Notre jeune fille au pair s'est tirée à Corfou avec son petit copain sans nous prévenir et Ewart a dû emmener Tiffany chez le médecin.

— Le train-train habituel, gloussa James. Rappelle-moi de ne jamais avoir d'enfants.

Zara hocha la tête.

— Dès que le nouveau directeur sera nommé, je camperai dans son bureau jusqu'à ce qu'il ouvre une crèche pour les employés du campus.

— Tu joues avec moi ? implora Joshua.

James interrogea Zara du regard.

— D'accord, mais seulement dix minutes, dit-elle avec fermeté. On a du travail.

— Non, jusqu'à l'heure du dodo.

— Pas question. James est un grand garçon. Il a des choses à faire.

James s'agenouilla sur la moquette jonchée de jouets.

— Vous êtes trop mignons, tous les deux, soupira Kyle.

« Et ils ont le même âge mental », faillit ajouter Lauren avant de se raviser, de crainte de compromettre leur réconciliation.

James aida patiemment Joshua à aligner ses petites voitures de course sur la moquette.

— Il vient en mission avec nous ? demanda-t-il.

Zara considéra son fils d'un œil anxieux.

— Ça, c'était possible quand il était encore bébé, mais depuis qu'il parle, on ne peut plus se le permettre.

Le visage du petit garçon se décomposa. James réalisa qu'il venait d'aborder un sujet délicat.

— Je veux partir en vacances avec James et maman ! couina Joshua.

— On ne partira pas longtemps, mon cœur, dit Zara. Tu seras bien, ici, avec papa et Tiffany…

— Je veux aller avec vous ! brailla l'enfant avant de donner un violent coup de pied dans une petite voiture.

Plus rien ne pouvait lui faire entendre raison.

James lança un regard affolé à sa contrôleuse de mission.

— Excuse-moi. Je n'ai pas réfléchi à ce que je disais.

Kyle leva les deux pouces en l'air.

— Ça, c'est ce qui s'appelle mettre les pieds dans le plat, mon pote.

— JE VEUX ALLEEER EN VACANCES AVEC JAAAMES ET MAMAAAN !!!!

— Là, calme-toi, ça va aller, bredouilla James. Joue avec tes petites voitures.

— T'es plus mon copain ! hurla Joshua.

Sur ces mots, il bascula sur le dos et pédala sauvagement dans le vide.

Kyle se tourna vers Lauren.

— T'avais pas tort finalement. Ton frère est peut-être un peu con sur les bords.

Lauren eut toutes les peines du monde à ne pas éclater de rire.

— Arrête, il ne faut surtout pas que je rigole. Tu ne vois pas que je marche sur des œufs ?

Kyle saisit l'un des dossiers éparpillés sur la table basse et le lui tendit.

— Tiens, jette un œil à notre ordre de mission. Ça va calmer ta joie.

** CONFIDENTIEL **

ORDRE DE MISSION
DE KYLE BLUEMAN, JAMES ADAMS,
ET D'UN TROISIÈME AGENT EN COURS DE SÉLECTION

CE DOCUMENT EST ÉQUIPÉ D'UN SYSTÈME ANTIVOL INVISIBLE. TOUTE TENTATIVE DE SORTIE HORS DU CENTRE DE CONTRÔLE ALERTERA IMMÉDIATEMENT L'ÉQUIPE DE SÉCURITÉ.

NE PAS PHOTOCOPIER — NE PAS PRENDRE DE NOTES

Historique du mouvement libérationniste

Le peuple anglais est connu pour son attachement aux animaux. C'est en Grande-Bretagne, dès 1824, que des groupes de pression permettent l'adoption par le Parlement des premières lois garantissant leur protection.

Ces associations historiques mettent un point d'honneur à rester dans le cadre légal. Elles travaillent en étroite collaboration avec les gouvernements, les éleveurs et les propriétaires d'animaux.

La fin des années 1960 marque l'émergence d'une nouvelle génération d'activistes radicaux. Rassemblés au sein du courant dit libérationniste, ils exigent sans relâche l'interdiction de toute exploitation de l'animal par l'homme.

Ces militants estiment que tous les êtres vivants devraient être traités sur un pied d'égalité. L'opinion publique tiendrait pour inadmissible que des expérimentations soient menées sur des handicapés mentaux sous prétexte qu'ils jouissent d'une intelligence inférieure à la normale. Les libérationnistes étendent cet argument au règne animal.

En outre, ils s'opposent à la consommation de viande, de poisson et de produits laitiers, mais aussi à l'utilisation de la fourrure, du cuir et de la laine. Ils rejettent l'existence des cirques, des zoos et des parcs animaliers. Certains libérationnistes ultra vont jusqu'à considérer que la possession d'un animal de compagnie est une forme inacceptable d'exploitation.

Action directe

Les premiers mouvements libérationnistes disposent d'effectifs et de moyens financiers extrêmement limités. Confrontés à la difficulté de faire connaître leur cause auprès du grand public, certains activistes décident de passer à l'action directe non violente en organisant des raids au cours desquels ils relâchent des animaux maintenus en captivité.

Les premiers libérationnistes sont pour la plupart des étudiants et des professeurs d'université. En toute logique, ils choisissent pour cibles les laboratoires établis sur les campus.

Ces actions menées par quelques dizaines d'activistes sont couronnées de succès. Les médias se font aussitôt l'écho des exploits de ces jeunes idéalistes pénétrant par effraction dans des unités de recherche pour libérer de pauvres bêtes sans défense. Les clichés dérangeants réalisés par les membres des commandos sont diffusés dans les journaux : opérations du cerveau sans anesthésie, yeux brûlés par les produits chimiques. Le grand public découvre avec horreur le monde inconnu de l'expérimentation animale. La cause libérationniste gagne le soutien de l'opinion.

En quelques années, le nombre de militants prenant part aux actions de sabotage est multiplié par dix. Les chasses à courre sont systématiquement perturbées par des manifestants ; les élevages industriels sont pris d'assaut ; suite à de nombreuses actions de lobbying, le port de la fourrure devient socialement inacceptable.

Les libérationnistes anglais font des émules dans le monde entier. En 1980, la libération des animaux devient un mouvement global regroupant des activistes en Europe, en Australie et en Amérique du Nord.

Premiers revers

Souhaitant répondre aux attentes de l'opinion, le gouvernement britannique adopte des lois visant à encadrer l'expérimentation animale. Au passage, il se dote d'une législation permettant de condamner lourdement les activistes et autorise la police à créer des unités spécifiques chargées de lutter contre les actions illégales des libérationnistes.

Chasseurs, scientifiques et éleveurs prennent des mesures pour protéger leurs activités. Les laboratoires s'équipent de systèmes de sécurité perfectionnés et transforment leurs installations en véritables camps retranchés. En outre, grâce aux conseils d'experts en communication, l'industrie pharmaceutique mène campagne afin de redorer son blason en rendant publics les progrès de la médecine réalisés grâce aux expérimentations animales. Aux yeux de l'opinion, les activistes de la cause libérationniste passent désormais pour des vandales opposés à des avancées de la science susceptibles de sauver des milliers de vies humaines.

Les mouvements radicaux de protection des animaux retombent peu à peu dans l'anonymat. Le choc initial produit par les photos prises dans les laboratoires s'étant estompé, le public et les médias manifestent moins d'intérêt pour la cause libérationniste. De plus, si l'opinion éprouvait de la sympathie pour les actions menées contre des activités qui ne les concernaient pas directement, elle se détourne des opérations visant les industries de la viande, du lait, du poisson et du cuir.

Scission

Ces échecs provoquent une crise au sein du mouvement libérationniste. De nombreux activistes craquent sous la pression policière et abandonnent la lutte. Plusieurs leaders sont condamnés à de lourdes peines de prison pour vol, incendie criminel et destruction de la propriété privée. Les membres les plus extrêmes du mouvement se radicalisent et décident de recourir à la violence, seul moyen selon eux de faire triompher leur cause.

Les libérationnistes historiques se sont toujours opposés à toute brutalité en vertu de l'égalité entre les hommes et les animaux, et du respect dû aux uns comme aux autres.

La nouvelle frange radicale de libérationnistes reprend ce principe, mais estime que la violence envers un être humain est acceptable si elle permet de sauver d'autres formes de vie.

Ryan Quinn

Libérationniste de la première heure, Ryan Quinn est né à Belfast en 1952. Dès l'âge de dix ans, après avoir vu la voiture de son père percuter un cerf, il cesse définitivement de consommer de la viande.

Étudiant à l'université de Bristol, il prend part à l'un des premiers assauts jamais menés par le mouvement libérationniste et libère soixante-huit lapins condamnés à subir des chocs électriques dans la moelle épinière.

Arrêté puis relâché faute de preuves, il est exclu de l'université ainsi que douze de ses complices.

Connu pour sa discrétion et son caractère pacifique, il préfère travailler dans l'ombre que mener campagne dans les médias. En quelques mois, il gagne une réputation de stratège hors pair capable d'établir des plans d'attaque extrêmement efficaces. Il participe à la formation clandestine de centaines de militants venus des quatre coins du monde.

Zebra 84

En juillet 84, Ryan est condamné à trois mois de prison pour avoir dérobé des cassettes vidéo dans le laboratoire secret de la Royal Navy où il est parvenu à se faire embaucher. Il profite de sa détention pour réfléchir à l'avenir du mouvement libérationniste. Après analyse, il attribue son échec à une dispersion des objectifs et à des lacunes en termes d'organisation.

En effet, aucun groupe ne dispose alors de structure formellement établie. Chacun est libre de planifier et de conduire une opération sur la cible de son choix. Ces multiples attaques sans envergure ne provoquent que de légers dégâts matériels et ne mettent pas réellement sous pression les industries visées.

Quinn fonde une nouvelle organisation baptisée Zebra 84. Quelques années plus tard, il s'expliquera sur ce choix lors d'une interview télévisée.

« Un zèbre, en gros, c'est un cheval avec des rayures. Pourtant, il est impossible de le chevaucher. Il est bien trop agressif. Si vous essayez, il tournera la tête et plantera ses dents dans l'une de vos cuisses. Sa mâchoire dispose d'un système de blocage. S'il réussit à vous mordre, vous ne le ferez jamais lâcher prise. Vous ne vous en sortirez pas sans y laisser un morceau de votre anatomie. »

Quinn résume ainsi la stratégie de son nouveau groupe : se fixer une cible et ne pas lâcher prise avant son anéantissement définitif.

Zebra 84 inaugure sa stratégie par une attaque visant un élevage d'animaux à fourrure en Écosse. Quinn et quatre de ses complices libèrent un grand nombre de bêtes et incendient les installations.

Au cours des semaines suivantes, tandis que les propriétaires de l'exploitation essaient de réparer les dégâts, Zebra 84 mène une politique de harcèlement systématique : ils vandalisent les véhicules de livraison, détruisent le courrier, sabotent le réseau d'eau potable et les câbles électriques. Ils font de la vie des éleveurs et de leurs partenaires commerciaux un véritable enfer.

L'exploitant victime de l'organisation de Quinn, contraint d'interrompre ses activités pendant des mois, lâché par ses fournisseurs, ses clients et ses assureurs, finit par mettre la clé sous la porte.

Quinze années durant, cette stratégie fait de Zebra 84 le groupe libérationniste le plus célèbre et le plus efficace d'Angleterre. Malgré le succès de ses opérations, Quinn refuse d'ouvrir son groupe à de nouveaux volontaires et à étendre le spectre de ses activités. Méfiant, il préfère s'entourer d'hommes de confiance et ne vise jamais plus d'un objectif à la fois.

Cette politique de discrétion renforce le prestige de Zebra 84, une organisation considérée par ses sympathisants comme les forces spéciales du mouvement libérationniste.

Une année faste

Zebra 84 connaît son apogée en 2001. Le groupe mène plus de vingt campagnes de harcèlement couronnées de succès et organise des dizaines de manifestations sur les campus universitaires. En outre, il se livre à diverses activités de sabotage, dont la destruction spectaculaire d'une grue de quarante mètres de haut sur le chantier d'une unité de recherche scientifique financée à hauteur de dix-sept millions de livres par le ministère de la Défense et diverses associations de lutte contre le cancer.

Grisé par ce succès, Quinn décide de s'attaquer à la multinationale Malarek Research. Cette société, qui possède des laboratoires en Angleterre, au Canada et aux États-Unis, emploie plus d'un millier de collaborateurs. Elle conduit à elle seule 10 % des expérimentations animales mondiales. Les plus grands producteurs de produits de consommation (lessive, mousse à raser, teintures pour les cheveux, etc.) et les principaux groupes pharmaceutiques ont recours à son expertise. Quatorze millions d'animaux perdent la vie chaque année dans ses installations.

Quinn sait que la campagne contre Malarek se présente comme la plus longue et la plus éprouvante de sa carrière d'activiste. Conscient que son groupe ne dispose pas des moyens financiers nécessaires à l'accomplissement de son projet, il exploite son statut de figure historique du mouvement libérationniste pour forger une alliance regroupant de nombreuses organisations établies dans les pays où Malarek mène ses activités.

Indicateur

Plus d'une douzaine de groupes s'associent au sein de l'Alliance Zebra. Ce que Quinn ignore, c'est que l'une de ses sections américaines est noyautée par le FBI. Plusieurs films tournés secrètement par un agent infiltré sont transmis aux autorités britanniques. Dans le document, Quinn admet explicitement son rôle dans la destruction de la grue.

Quelques semaines seulement après la création de l'Alliance Zebra, il est arrêté et mis en examen pour incendie volontaire, conspiration en vue de mener des attaques terroristes et possession illégale d'explosifs, charges pour lesquelles il encourt une peine d'emprisonnement à vie. Après six semaines de procès, seule la première accusation est retenue contre lui. Il est condamné à une peine de six ans fermes.

La MLA

Les autorités ont la certitude que la mise hors d'état de nuire de Quinn sonne le glas de l'alliance Zebra. Or, si les forces de police n'éprouvent aucune difficulté à démanteler les sections américaines et canadiennes, le laboratoire de Malarek en Angleterre est l'objet d'un harcèlement constant.

De nombreux fournisseurs pris pour cible mettent un terme à leur partenariat. Clients et employés sont l'objet de menaces quotidiennes. La compagnie d'assurances du groupe suspend ses engagements.

Toutefois, dix-huit mois après l'ouverture des hostilités, l'Alliance se retrouve face à une impasse lorsque Malarek obtient une garantie multirisque du gouvernement britannique à titre exceptionnel. Aussitôt, le porte-parole de la société annonce des profits record.

Deux jours plus tard, Fred Gibbons, directeur de Malarek UK, est tiré de son lit au beau milieu de la nuit par quatre femmes masquées et sévèrement battu à coups de batte de base-ball. Il est victime de seize fractures et d'un traumatisme crânien. Sa femme, qui a essayé de se défendre à l'aide d'un club de golf, souffre également de graves contusions.

Aussitôt la nouvelle annoncée par les médias, l'alliance Zebra diffuse un communiqué condamnant solennellement l'attaque et rappelant son attachement au principe d'action non violente.

Un message de revendication retrouvé sur les lieux de l'agression confirme l'innocence du groupe :

La Milice de Libération des Animaux
invite amicalement
Mr Frederick Gibbons
à quitter Malarek Research, sous peine de mort.
PS : nous savons où vivent ses enfants.

La libération de Quinn

À sa sortie de l'hôpital, deux mois plus tard, Fred Gibbons démissionne de ses fonctions pour raisons de santé. Mais la Milice de Libération des Animaux poursuit ses agissements.

Au cours des mois suivants, elle mène onze attaques violentes contre des employés de Malarek dans la région de l'Avon. Un coursier voit sa maison incendiée ; des inconnus aveuglent le directeur d'une banque dépositaire de plusieurs comptes de la société en lui jetant de l'acide au visage.

Pendant ce temps, enfermé dans sa cellule, Ryan Quinn assiste impuissant au détournement de sa stratégie de mise sous pression par des extrémistes ultra-violents. Constatant une similitude suspecte entre ses méthodes et celles du groupe terroriste, il soupçonne aussitôt l'existence d'un lien entre l'Alliance Zebra et la Milice de Libération des Animaux.

Quinn souhaite que la MLA soit démantelée avant que ses agissements ne décrédibilisent irrémédiablement l'ensemble du mouvement libérationniste. Il demande à s'entretenir avec un agent du MI5 et lui fait une offre : en échange de sa libération anticipée, il s'engage à aider les services secrets à infiltrer l'Alliance Zebra afin d'identifier les membres de la MLA. En outre, il souhaite aussi que le MI5 détruise toutes les preuves liées aux actes de sabotage commis par les membres non violents de l'Alliance Zebra.

Cette proposition inattendue est accueillie avec enthousiasme par les autorités. Toutefois, compte tenu de la vigilance extrême des activistes du groupe fondé par Ryan Quinn, les responsables du MI5 estiment que des agents adultes seraient incapables d'infiltrer l'Alliance Zebra. Ils prennent la décision de faire appel aux spécificités opérationnelles de CHERUB.

La mission CHERUB

Au cours des quatre mois écoulés depuis l'accord conclu avec les services secrets, Ryann Quinn a reçu de fréquentes visites de Zara Asker. Elle figure sur les registres de l'administration pénitentiaire sous le nom de Zara Wilson, membre d'une association de visiteurs de prison.

Dès sa libération, Quinn annoncera qu'il entretient une relation sentimentale avec Zara et qu'il a l'intention de s'établir avec elle dans le village de Corbyn Copse, à moins de deux kilomètres du laboratoire de Malarek Research, en compagnie de ses trois enfants issus d'une précédente union, tous agents de CHERUB.

Kyle Blueman opérera sous le nom de Kyle Wilson. Sa date de naissance sera avancée de six mois afin de justifier sa possession du permis de conduire. James Adams opérera sous le pseudonyme de James Wilson. Un troisième agent plus jeune, de sexe féminin, sera sélectionné par Zara Asker.

Pour des raisons évidentes, les agents devront respecter scrupuleusement le mode de vie vegan : ils ne consommeront ni n'utiliseront aucun produit d'origine animale (viande, lait, œufs, miel, fourrure, cuir, laine, soie, etc.).

Les agents suivront leur scolarité au lycée polyvalent local. Ils tâcheront de se lier aux membres de l'alliance Zebra et de découvrir des informations relatives à la Milice de Libération des Animaux.

LE COMITÉ D'ÉTHIQUE DE CHERUB APPROUVE À L'UNANIMITÉ L'ORDRE DE MISSION MAIS ATTIRE L'ATTENTION DES AGENTS SÉLECTIONNÉS SUR LES FACTEURS SUIVANTS :

(1) Cette mission a été classée RISQUE MODÉRÉ. La MLA ne figure pas dans la liste des groupes terroristes, comme Sauvez la Terre ou Al Qaeda, mais ses membres sont réputés violents et sans scrupules. Tout individu suspecté de faire partie de cette organisation devra être traité avec la plus extrême vigilance.

(2) Les agents sont susceptibles d'assister à des scènes perturbantes relatives aux expérimentations animales. Tout candidat doutant de sa capacité à y faire face est invité à renoncer à cette mission.

8. Chips goût poulet

Le dimanche après-midi, l'équipe se rendit dans le Cambridgeshire afin de rencontrer Ryan Quinn. Détenu modèle depuis trois ans et demi, ce dernier avait reçu l'autorisation de purger les quatre derniers mois de sa peine dans un centre de détention au régime souple spécialisé dans la réinsertion.

Il faisait un temps superbe. Zara immobilisa la BMW devant le portail de la prison. Le gardien de permanence fit trois pas hors de sa guérite pour examiner ses documents administratifs.

— Alors comme ça, c'est la dernière fois qu'on se voit ? plaisanta-t-il en consultant rapidement les papiers. Mr Quinn sort la semaine prochaine, n'est-ce pas ?

— Ce serait préférable, sourit Zara. Nous sommes censés nous marier.

— Oh ! toutes mes félicitations. Ils sont à qui, tous ces enfants ?

— Ce sont les miens.

Le garde se pencha pour jeter un œil à James et Lauren avachis sur la banquette arrière.

— Quand il aura vécu quelques semaines avec ces petits monstres, je parie qu'il nous suppliera de le laisser retourner en cellule.

Lauren lui adressa un large sourire.

— Ce type a dû faire l'école du rire, murmura-t-elle sans desserrer les dents lorsque le véhicule eut pénétré dans le périmètre de la prison.

— Qu'est-ce qui se passe ? s'étonna Kyle. Tu es de mauvaise humeur ?

— Je ne supporte pas les adultes qui me parlent comme si j'avais cinq ans.

La BMW franchit une série de ralentisseurs puis s'arrêta sur le parking réservé aux visiteurs, à quelques mètres d'un détenu qui poussait une tondeuse sur une pelouse fleurie.

— C'est une prison, ça ? fit observer James en découvrant les petits bâtiments d'habitation flambant neufs. Franchement, on se croirait dans un club de vacances.

Zara conduisit ses agents vers le bloc réservé aux visiteurs. Compte tenu des conditions météorologiques favorables, la plupart des détenus s'entretenaient avec les membres de leur famille en plein soleil, sur une vaste terrasse.

Les membres de l'équipe traversèrent une salle meublée de fauteuils en plastique, aux murs ornés d'œuvres d'art réalisées par les prisonniers. Dans un coin, un couple s'embrassait passionnément sous la surveillance discrète d'un gardien.

Zara et ses agents retrouvèrent Ryan Quinn dans l'un des boxes privés où les détenus recevaient leurs avocats. Il n'y avait que trois chaises. James et Kyle restèrent debout, adossés à un mur.

Aux yeux de James, Quinn ne ressemblait pas à un criminel. Il portait d'horribles sandales en plastique, un jean étroit et un polo de rugby délavé tout droit sorti des années 1980. Il était mince, mais un ventre proéminent venait alourdir sa silhouette. De grosses touffes de poils dépassaient de ses narines.

— Alors voilà l'arme secrète de ce gouvernement fasciste, dit l'homme, le sourire aux lèvres, avec un accent nord-irlandais extrêmement prononcé. Et regardez-moi tous ces logos. De vraies petites pubs vivantes pour Nike, Metallica et Arsenal.

— Nous aussi, nous sommes enchantés de vous rencontrer, ironisa Kyle en se penchant pour lui serrer la main. Comme vous le voyez, je fais tout mon possible pour favoriser l'oppression du prolétariat, même si je me sens un peu en marge, en tant que *gay* attaché aux idées démocratiques.

Cette réponse cinglante laissa Quinn sans voix. Zara éclata de rire.

— Vous comprenez à présent pourquoi nos agents sont si efficaces. Tout le monde les sous-estime. Kyle envisage d'étudier le droit à Cambridge quand il quittera CHERUB. Lorsqu'il a rejoint notre organisation, James a atteint le niveau bac en maths en moins de dix mois. Lauren est ceinture noire deuxième dan de karaté. Elle est pratiquement bilingue en russe et en espagnol. L'année dernière, elle a neutralisé un criminel adulte à l'aide d'un stylo-bille. Ils maîtrisent tous les trois les techniques d'espionnage les plus avancées. Leurs capacités sont comparables à celles des agents des forces spéciales.

— Ou des membres de Zebra 84, ajouta Kyle.

— Je vois que tu es bien renseigné, petit. Lorsque tu seras trop vieux pour CHERUB, pourquoi ne pas passer du côté des gentils ?

James hocha la tête.

— C'est vrai, finalement, vous avez pas mal de choses en commun, lança-t-il. Je veux dire, végétariens, homos, c'est un peu le même trip, au bout du compte, non ?

Les quatre personnes présentes dans la pièce lui lancèrent un regard assassin.

— James, pourquoi tu ne creuses pas un trou pour t'y enterrer ? demanda Kyle.

— Je disais ça pour rigoler… Nom de Dieu, Kyle, ce que tu peux être susceptible !

— Je vais te donner un conseil. À partir de maintenant, je te suggère d'utiliser ton cerveau *avant* d'ouvrir la bouche.

— Calmez-vous, tous les deux, trancha Zara.

Elle fouilla dans son sac à main et en sortit un porte-monnaie.

— Je suis persuadée que notre jeune ambassadeur du politiquement correct ne pense pas réellement ce qu'il dit. James, il y a un distributeur dans le hall. Va donc chercher des trucs à boire et à grignoter pour tout le monde.

Cinq minutes plus tard, James regagna le box et posa sur la table un assortiment de boissons, de chips et de biscuits au chocolat. Kyle était allé récupérer deux chaises supplémentaires dans la salle commune.

Lauren ouvrit un sachet de chips. Au moment où elle s'apprêtait à y plonger les doigts, Ryan le lui arracha des mains et déchiffra attentivement l'étiquette.

— Chips Tyler, goût poulet. Ingrédients : pomme de terre, huile végétale, bouillon de poule lyophilisé, glutamate monosodique, colorant, sel.

Il se pencha par-dessus la table et regarda Lauren droit dans les yeux.

— Sais-tu à quoi ressemble un élevage industriel de volailles, ma petite ?

La jeune fille secoua la tête.

— Imagine un peu le tableau. Les poulets vivent à douze dans de minuscules cages grillagées empilées sur huit à dix niveaux. Comme cette promiscuité les rend extrêmement agressifs, on leur coupe le bec à la naissance afin d'éviter qu'ils ne s'entre-tuent. Malheureusement, contrairement aux sabots d'un cheval, le bec du poulet contient des centaines de milliers de terminaisons nerveuses. Pour être clair, cette opération est aussi douloureuse qu'une amputation sans anesthésie. À l'âge de six semaines, sans avoir jamais vu un brin d'herbe ni la lumière du jour, les volailles sont prêtes à être tuées.

Au cours de leur brève existence, elles n'ont fait que chier sur leurs voisines du dessous. Au niveau le plus bas, la couche de fiente blanche et collante est si épaisse que les employés de l'élevage sont forcés de briser les pattes des animaux pour les conduire à l'abattoir. Ils sont alors suspendus la tête en bas à une chaîne mécanisée. Une lame rotative est *censée* leur couper la tête. Mais les poulets se débattent, et le coup rate en moyenne une fois sur sept. Tu penses que les survivants ont de la chance ? Pas vraiment, puisqu'ils sont plongés vivants dans une cuve d'eau bouillante quelques mètres plus loin, afin d'être débarrassés de leurs plumes. Au lieu d'avoir la tête coupée, le pauvre volatile est cuit vivant.

Ryan reposa les chips au centre de la table.

— Vas-y, régale-toi, dit-il. Qu'est-ce que tu attends ? Lauren fixait le sachet, l'air indécis.

— Eh bien… murmura-t-elle.

— Je suis enfermé dans cette prison parce que je m'oppose à l'exploitation des animaux, poursuivit Ryan Quinn sur un ton de tribun. Un jour, sans doute, je serai condamné à une peine extrêmement lourde et il y a fort à parier que je mourrai en cellule. Je ne posséderai jamais rien, ni voiture ni maison. Je n'aurai jamais d'enfants et je doute qu'il y ait foule à mon enterrement. Mais si je suis parvenu à persuader quelques jeunes filles comme toi de réfléchir à ce qu'elles avalent, si elles cessent de consommer de la viande et de porter des morceaux de cadavres d'animaux en guise de vêtements, mon combat n'aura pas été vain.

James, craignant que les images abominables évoquées par Quinn n'aient ébranlé sa sœur, frappa du poing sur la table.

— Vous pouvez pas la boucler, bordel ? Elle n'a que onze ans, nom d'un chien !

— Ça va, je ne suis plus un bébé, répliqua Lauren avant de se tourner vers Quinn. Moi, je trouve ça super que vous vous battiez pour vos convictions. En fait, je crois que je suis d'accord avec vous : c'est dégueulasse de manger des animaux. Je suis impatiente que la mission commence pour tester le régime végétarien.

— Et tu pourrais peut-être l'adopter définitivement, qui sait ?

— Peut-être. Il y a plein de filles végétariennes, au campus.

Zara s'éclaircit la gorge.

— Il faut qu'on avance, Ryan, dit-elle. Vous aurez tout le temps d'endoctriner mes agents dans les semaines à venir. Pour le moment, nous devons passer tous les détails de notre couverture en revue. Il va vous falloir apprendre par cœur des noms, des dates et des détails fictifs en rapport avec notre prétendue liaison. Vous serez remis en liberté dans moins d'une semaine, et je veux être certaine que nous ne nous mélangerons pas les pinceaux.

James tendit le bras vers le paquet de chips.

— Bon, ben, si personne ne les veut…

9. Corbyn Copse

Cinq jours plus tard, Zara et ses agents se levèrent aux aurores pour charger les bagages à l'arrière d'un monospace. Joshua, en larmes, n'accepta de laisser partir sa mère que lorsqu'elle lui eut promis de revenir avec un énorme cadeau. L'équipe prit la direction du sud-ouest de l'Angleterre.

Zara quitta l'autoroute à une quinzaine de kilomètres de Bristol, s'engagea sur un rond-point, emprunta une nationale bordée d'hypermarchés et de lotissements récents, puis atteignit une voie secondaire qui filait au milieu des champs entre deux hautes haies d'arbustes.

Kyle descendit sa vitre pour respirer l'air de la campagne. Une effroyable odeur d'engrais industriel s'engouffra dans le véhicule.

— Pouah ! s'étrangla Lauren. Ça brûle les yeux. C'est pire que d'entrer dans les toilettes après James.

— On va jeter un œil au labo Malarek avant de rejoindre le village, dit Zara.

— Ça ne nous rallonge pas trop ? demanda James. J'ai une de ces envies de pisser...

— Ça ne prendra pas plus de cinq minutes. Je peux m'arrêter, si tu ne peux pas te retenir.

— Je vais prendre sur moi.

Zara avait déjà visité les abords du laboratoire lors de la phase de préparation de la mission. Elle ralentit à la hauteur d'un panneau indiquant *Corbyn Copse 1,2 km* et s'engagea sur une chaussée encadrée de murs de béton hérissés de barbelés et de caméras de surveillance. Des pancartes jaune fluo avaient été disposées sur le bas-côté à intervalles réguliers par la police de l'Avon : *Ne pas stationner — Interdit aux piétons — Vitesse limitée à 10 km/h — Visiteurs de Malarek Research : verrouillez vos portières et remontez vos vitres IMMÉDIATEMENT.*

Zara ralentit. Les agents contemplèrent avec consternation les monceaux d'ordures et les pancartes détrempées abandonnés le long de la route.

Le véhicule aborda la courbe menant au portail du laboratoire. Les murs et la chaussée étaient maculés de taches de peinture rouges, bleues et jaunes, stigmates des attaques menées par les manifestants sur les véhicules entrant et sortant du complexe scientifique.

James, qui avait visionné de nombreux extraits de reportages diffusés sur la chaîne d'informations *Sky News*, reconnut les lieux au premier coup d'œil. C'est là que les opposants aux activités de Malarek tenaient leurs rassemblements, bombardaient les voitures d'objets divers et affrontaient vigiles et forces de l'ordre lors de vaines tentatives pour forcer les portes du laboratoire.

En ce vendredi midi, deux policiers portant des dossards jaune fluo montaient la garde devant le portail. Cinq de leurs collègues étaient assis dans un Algeco de l'autre côté de la route.

À cinquante mètres de là, les rares manifestants, trois femmes d'une cinquantaine d'années et un vieillard, étaient confinés dans une zone délimitée par des barrières de sécurité. Ils y avaient suspendu une bannière où figurait le slogan : *NON À LA TORTURE !* Installés dans des chaises pliantes, ils grignotaient des sandwichs et partageaient une thermos de café. Leurs pancartes étaient posées contre le mur de béton.

Conscients que leur rôle dans l'opération consistait à se mêler aux activistes, les membres de l'équipe leur adressèrent un signe de la main. Zara lança un coup d'avertisseur. Les quatre militants, tout sourires, les saluèrent en retour.

Une centaine de mètres plus loin, la contrôleuse de mission ralentit pour s'engager sur un rond-point. Une Land Rover qui suivait le monospace depuis la sortie de l'autoroute effectua un dépassement et s'immobilisa à sa hauteur dans un crissement de pneus. Le conducteur, un jeune homme d'une vingtaine d'années, portait une combinaison d'ouvrier agricole. Il fit signe à Zara de baisser sa vitre.

— Retournez d'où vous venez ! gronda-t-il.

Zara était stupéfaite.

— Je vous demande pardon ?

— Vous m'avez très bien entendu. On n'aime pas les fouteurs de merde dans votre genre qui viennent de Londres pour se rincer l'œil. Maintenant que vous avez vu le labo, faites demi-tour et cassez-vous.

Sur ces mots, l'homme reprit sa route. James baissa sa vitre et lui adressa un doigt d'honneur.

— Espèce de gros plouc attardé !

— James, est-ce que tu peux contrôler tes nerfs une fois dans ta vie ? demanda Lauren.

Zara s'engagea sur la route menant à Corbyn Copse.

— Les gens du coin n'aiment pas les manifestants. C'est compréhensible, quand on y pense. Ils ont l'habitude de vivre au calme. Vous imaginez ce qu'ils peuvent ressentir, depuis que des flots de manifestants et des équipes de télé débarquent dans leur village deux fois par semaine ?

La voiture gravit une côte, traversa la rue principale, une artère étroite bordée de maisons d'habitation, d'un pub et d'une épicerie, puis franchit le portail d'une ferme située à la limite du lotissement moderne où vivaient désormais la majorité des habitants de la localité.

Lauren considéra le jardin envahi par la végétation et la façade décrépie du corps d'habitation. À l'évidence, quelques coups de sécateur et une bonne couche de peinture auraient suffi à le transformer en un charmant cottage anglais traditionnel.

— Putain, quel trou à rats, grommela James en ouvrant la porte du bâtiment.

Une puissante odeur de renfermé assaillit ses narines. Il se rua à l'étage et s'enferma dans les toilettes.

— Cette baraque a dû être construite par des hobbits, plaisanta Kyle dont le crâne frôlait les poutres du plafond.

— La propriétaire n'était pas chaude pour louer cette maison à une famille avec enfants, expliqua Zara. Finalement, on s'est décidés à l'acheter parce que son emplacement est *absolument parfait*. En passant par l'arrière, on peut couper à travers champs et rejoindre l'entrée de Malarek en cinq minutes. En plus, certains manifestants fréquentent le pub de la rue principale. Le seul point négatif, c'est qu'il n'y a que trois chambres.

— Je veux une chambre individuelle ! lâchèrent en chœur Kyle et Lauren.

James regagna le rez-de-chaussée.

— Il n'y a même pas de serviette, maugréa-t-il en essuyant ses mains sur son pantalon.

— Deux d'entre vous devront se tasser dans l'une des chambres, dit Zara.

— De plus en plus génial. J'imagine que je n'ai aucune chance d'y échapper. Je vois mal Kyle et Lauren faire chambre commune.

— Arrête de te plaindre. Moi, il faut que je partage mon lit avec Ryan Quinn.

James éclata de rire.

— En plus, il doit être chaud comme la braise, après trois années de prison.

— Ça ne me fait pas rire. J'ai fait installer un lit *king size* et j'ai prévenu Ryan que s'il osait poser un doigt sur moi, ses bijoux de famille finiraient dans un bocal de formol.

10. Totalement incapable

Le tirage au sort l'ayant condamné à partager sa chambre avec Kyle, James passa une nuit agitée sur la couchette inférieure des lits superposés, les pieds dépassant du matelas défoncé, bercé par le grincement des ressorts au-dessus de sa tête. Tout bien pesé, il s'estimait heureux d'échapper aux ronflements de sa sœur.

À dix heures du matin, son camarade sauta du lit et se rua dans le couloir menant à la salle de bains. Estimant qu'il était temps de se secouer, James rejeta sa couette puis se traîna jusqu'à la fenêtre en bâillant à s'en décrocher la mâchoire. Il entrouvrit machinalement les rideaux pour jeter un œil à l'extérieur.

— Putain de merde ! s'exclama-t-il.

Une douzaine d'inconnus armés d'appareils photo étaient rassemblés sur le trottoir d'en face.

Il passa la tête dans le couloir et lança :

— Kyle, il faut que tu viennes voir ça.

— Je suis sous la douche.

— Il y a un troupeau de journalistes devant la baraque. Qu'est-ce qu'on fait ?

Kyle, ruisselant, une serviette nouée autour de la taille, jaillit de la salle de bains, débloula dans la chambre et observa la rue entre les rideaux.

— Ils ont dû apprendre que Ryan débarquait aujourd'hui.

— Sans blague, t'as trouvé ça tout seul ?

— Pas de panique. Ce n'est pas la première fois que je me retrouve coincé par des journalistes au cours d'une opération.

— Il faut absolument les empêcher de nous prendre en photo. Comment s'appelait cet agent dont la tronche a fini à la une de tous les journaux ? Il n'a plus jamais été envoyé en mission d'infiltration après ça.

— Tu veux parler de Jacob Rich. Ça s'est passé dix ans avant mon entrée à CHERUB. Il enquêtait sur des menaces visant les héritiers du trône d'Angleterre. Quand la princesse de quatorze ans qu'il était chargé de surveiller est tombée de son cheval devant deux cents journalistes, ce crétin a accouru pour l'aider à se relever. Elle l'a embrassé pour le remercier. Le lendemain, tous les journalistes du pays l'ont présenté comme son petit ami.

— Mais ça risque de nous arriver !

— Suffit de porter une casquette, de garder la tête baissée et de se tenir hors du champ ou au second plan si quelqu'un fait des photos. Cela dit, ne te fais pas trop de souci : Quinn n'est pas aussi populaire que la reine d'Angleterre. Le mieux qu'il puisse espérer, c'est un article en page seize.

— Ouais, c'est pas faux. Au fait, tu as vu Lauren ?

— Non. J'imagine qu'elle a dû accompagner Zara à la gare de Bristol.

— Ça te dirait, un petit déjeuner complet ?

Kyle hocha la tête avec enthousiasme.

— On n'a pas d'œufs, mais il y a des saucisses végétariennes et du tofu dans le frigo.

— Je *déteste* ces saloperies, grogna James, une expression de dégoût sur le visage.

— Tu devrais voir le bon côté des choses. Ne le prends pas mal, mais tu as un peu de bide en ce moment. Ce régime te fera sans doute du bien. Et puis, tu n'as pas laissé une miette des lasagnes végétariennes de Zara, hier soir.

James haussa les épaules.

— Ouais, c'est vrai qu'elle a fait des progrès en cuisine depuis la mission de Luton. Mais j'ai l'impression de ne bouffer que de la garniture. Tu sais ce qui me botterait ? Un bon steak de trois cent cinquante grammes !

••

Pendant que James prenait sa douche, Kyle prépara des saucisses végétariennes, des champignons et des toasts. Leur petit déjeuner achevé, les garçons entendirent une voiture ralentir dans la rue. Zara lâcha un coup d'avertisseur afin d'inviter les journalistes à dégager l'accès à l'allée, gara le véhicule devant la maison, puis se précipita vers le coffre en compagnie de Lauren pour en sortir un grand sac de sport et un carton de livres. Toutes deux avaient rabattu la visière de leur casquette sur leur visage.

Ryan Quinn émergea triomphalement du monospace. Il leva les bras en l'air et fit le V de la victoire. Les flashs crépitèrent.

Un journaliste à l'expression blasée lui colla un micro sous le nez.

— Alors, Ryan, heureux de retrouver la liberté ?

— À votre avis ? répliqua-t-il pour souligner l'absurdité de la question.

— Compte tenu des performances exceptionnelles de Malarek sur le marché boursier, pensez-vous que la stratégie de l'alliance Zebra puisse encore porter ses fruits ?

— J'en suis convaincu.

Une femme prit la parole.

— Votre installation à Corbyn Copse signifie-t-elle que vous envisagez de jouer un rôle important dans la campagne ?

— J'espère en effet que ma présence permettra de donner un second souffle à notre action.

— Comptez-vous reprendre la tête de l'Alliance Zebra ?

Ryan sembla soudain déstabilisé.

— Eh bien… marmonna-t-il. À l'évidence, d'autres responsables ont su diriger efficacement les opérations durant mon séjour dans les prisons de Sa Majesté. Je compte rencontrer les membres du comité de l'Alliance dans les jours à venir, afin que nous puissions définir mon rôle dans l'organisation. À présent, ne m'en voulez pas, mais je vais aller déjeuner. Je rendrai visite à nos sympathisants devant le laboratoire un peu plus tard. Je vous invite à m'y accompagner.

— Une dernière question, insista la journaliste. Quel jugement portez-vous sur les agissements de la Milice de Libération des Animaux ?

— Je condamne toute forme de violence exercée envers les êtres vivants. Les hommes ne font pas exception à la règle.

— Pensez-vous que la MLA a porté atteinte à votre combat ?

— Si c'est le cas, comptez sur moi pour que cela change. Il y a cent ans, l'opinion estimait qu'il était justifié qu'un père ou un instituteur batte un enfant récalcitrant. Dans un siècle, j'ai la conviction qu'elle condamnera cette société capable de réduire en esclavage, de torturer et de tuer des animaux, de confectionner des vêtements avec leurs cadavres ou de conduire des expérimentations barbares. Je vous remercie.

Quinn poussa la porte de la maison et pénétra dans le salon.

— Salut les garçons ! lança-t-il à l'adresse de James et de Kyle. Ça fait du bien d'être de nouveau au cœur de l'action.

•••

Contrairement à ce qu'avait espéré Ryan, les journalistes, satisfaits d'avoir pris quelques photos et d'avoir recueilli une brève interview, quittèrent Corbyn Copse sans demander leur reste.

— Je m'y attendais, grommela-t-il en jetant un œil à l'allée déserte entre les voilages du salon. Ces feignants de fouille-merde, ils ne pouvaient pas patienter une demi-heure de plus ?

— Nous irons quand même rencontrer les manifestants, ordonna Zara. Je me suis entretenue avec mon contact dans la police locale. Il y a toujours du monde devant le labo durant le week-end. Je veux que les enfants se mêlent aux manifestants le plus tôt possible.

— D'accord, lâcha Ryan. De toute façon, j'ai déjà prévu une rencontre avec Madeline Laing.

Il mordit dans le sandwich préparé par Lauren.

— C'est la nouvelle dirigeante de l'Alliance, si je me souviens bien, dit cette dernière.

— Jeune, déterminée et totalement incapable, précisa Quinn.

Les agents, qui avaient lu de nombreux articles flatteurs concernant Madeline Laing, étaient stupéfaits de l'entendre parler d'elle en des termes aussi méprisants.

— J'ignorais que vous ne l'aimiez pas, dit Zara.

— Disons qu'elle n'a pas que des défauts. Elle est toujours bien coiffée et elle est extrêmement photogénique. La presse ne jure que par elle. Mais pour le reste, c'est une calamité. Elle est incapable de mettre sur pied une stratégie qui tienne debout. J'ai pris contact avec quelques membres historiques de l'Alliance. Ils sont d'accord avec moi. Il va falloir tout reprendre à zéro et refonder notre stratégie.

— Il faudra que le comité de l'Alliance Zebra soit d'accord, fit observer Kyle.

— Ne t'inquiète pas pour ça, mon garçon. Je faisais déjà de la politique quand tes parents n'étaient encore que des gamins. Je reprendrai le contrôle de l'Alliance plus tôt que tu ne le penses.

Sur ces mots, il attrapa sa veste de treillis sur le sofa et se dirigea vers la porte.

— Vous venez ou quoi ? lança-t-il, visiblement surexcité.

Ryan, Zara et les trois agents traversèrent le champ, puis longèrent le mur d'enceinte du laboratoire sur plusieurs centaines de mètres. En chemin, ils croisèrent un groupe de jeunes activistes qui chahutaient bruyamment.

Une trentaine de manifestants étaient rassemblés derrière les barrières de sécurité.

Madeline Laing se trouvait parmi eux. Sa tenue vestimentaire, qui mettait en valeur ses formes avantageuses, produisait un contraste saisissant avec les blousons polaires et les bottes en caoutchouc des autres sympathisants.

— Salut à tous ! lança Quinn, tout sourire.

Quelques applaudissements polis saluèrent l'apparition du leader historique de l'Alliance. Madeline et Ryan se donnèrent une brève accolade.

— Le combat continue, à ce que je vois, sourit l'homme. On m'a dit que tu avais accompli un travail *fantastique*.

Madeline rougit à cette flatterie.

— On a eu des moments difficiles, mais on n'a jamais baissé les bras. Oh ! mais je vois que tu as amené toute ta petite famille.

Tandis que Ryan, Zara et Madeline échangeaient des banalités, James, Kyle et Lauren scrutèrent la foule des activistes. L'heure était venue de se mêler aux membres de l'Alliance Zebra.

11. Bon esprit

Le dimanche était traditionnellement jour d'affluence aux abords du complexe Malarek. Le beau temps et les articles sur Ryan Quinn parus dans les journaux du matin avaient attiré plus d'une centaine de manifestants. Zara, consciente que les activistes les plus radicaux se méfieraient d'une adulte, fût-elle accompagnée de trois enfants, avait confié à ses agents le soin de procéder aux manœuvres d'infiltration.

Lauren, qui n'avait jamais brillé par son caractère sociable, fit de son mieux pour se montrer serviable et enjouée. Elle estimait que cette attitude était le meilleur moyen de se lier aux militants et de mettre des noms sur des visages.

Pendant deux heures, elle effectua d'innombrables allers-retours entre le cottage et le site de la manifestation pour remplir des thermos de thé et de café. Elle procura un paquet de Kleenex à un homme atteint du rhume des foins et fit un détour par l'épicerie de Corbyn Copse pour acheter un rouleau d'adhésif et une agrafeuse destinés à réparer une pancarte endommagée.

— Tu es un don du ciel ! lança une femme obèse vêtue d'une chemise de bûcheron.

Lauren lui tendit deux beignets aux légumes réchauffés au micro-ondes.

— Faites attention, ils doivent être brûlants à l'intérieur.

— Merci infiniment.

— De rien.

En vérité, Lauren avait rapidement réalisé que sa stratégie était vouée à l'échec. Elle était censée identifier les membres les plus radicaux de l'Alliance Zebra, mais elle n'était jusqu'alors entrée en contact qu'avec des révoltés du week-end, quinquagénaires chaussés de bottes en caoutchouc venus en 4 x 4 protester pacifiquement contre les expérimentations animales. Cette foule de curieux ignorait tout des théories libérationnistes de Ryan Quinn. Elle avait même surpris un couple de manifestants en train de déguster un sandwich au jambon et des œufs durs enrobés de chair à saucisse et panés.

Convaincue qu'elle perdait son temps, elle ignorait quelle tactique adopter. Elle décida de s'entretenir avec ses coéquipiers.

— Vous n'avez pas vu mes frères ? demanda-t-elle à la femme à qui elle venait d'offrir les beignets.

Cette dernière, en grande conversation avec un homme chauve et barbu, se plaignait amèrement des problèmes rencontrés lors de l'installation de sa nouvelle cuisine équipée.

— Oui, ma chérie, c'était délicieux, dit-elle, visiblement agacée d'être ainsi interrompue.

Du point de vue de Lauren, cette réponse était pleine de sous-entendus. Son interlocutrice lui faisait clairement comprendre qu'elle n'était qu'une gamine, qu'elle n'était pas autorisée à interrompre une discussion entre adultes et qu'elle était priée d'aller voir ailleurs si elle y était.

— Je vous *demande* si vous avez vu mes frères, répéta Lauren, sans prendre la peine de dissimuler la colère qu'elle éprouvait.

— Oh! excuse-moi, mon ange. Non, je ne sais pas où ils sont, mais essaye le champ, de l'autre côté de la route. Il y a toujours plein de jeunes qui traînent par là.

Lauren bondit souplement par-dessus la barrière métallique, traversa la chaussée et franchit une brèche pratiquée dans la haie d'arbustes.

D'emblée, elle crut que les lieux étaient déserts, puis elle vit des volutes de fumée s'élever au-dessus des hauts plants de colza, à une cinquantaine de mètres de sa position.

Elle fendit la végétation et découvrit une douzaine d'adolescents âgés de seize à vingt ans qui se prélassaient au soleil.

James était à l'évidence le cadet du groupe, mais il semblait s'être parfaitement intégré. Allongé de tout son long, torse nu, il avait ôté ses baskets et placé son polo roulé en boule sous sa nuque. Assis à ses côtés, un petit boudin souriant à la poitrine surdimensionnée dispersait des pétales de colza dans ses cheveux.

— Salut ! s'exclama le garçon en se redressant à la hâte. Lauren, je te présente Anna. Anna, ma sœur Lauren.

Cette dernière détestait la manie de son frère de flirter avec tout ce qui ressemblait de près ou de loin à une fille, ainsi que sa faculté à oublier, dès qu'il se trouvait en mission, qu'il avait une petite amie officielle. Cependant, sa récente tentative de chantage ne lui permettait pas d'émettre le moindre commentaire. En outre, elle tenait Kerry pour l'un des agents les plus intelligents de CHERUB. Elle ne doutait pas une seconde que la jeune fille finirait tôt ou tard par découvrir ce que James bricolait dès qu'elle avait le dos tourné et lui ferait payer son infidélité par quelque châtiment physique de son cru.

— Qu'est-ce que vous foutez ? demanda-t-elle.

James adressa à Anna un sourire idiot, puis il haussa les épaules.

— Ben, on glande, tu vois…

— Tu sais où est passé Kyle ?

— Il est par là, répondit James en esquissant un geste vague de la main.

Kyle, assis en tailleur, était en grande discussion avec deux colosses portant des polos de rugby.

— Wah ! ces types sont vachement *balèzes*, lâcha-t-elle.

— J'adore trop les rugbymen, gloussa stupidement

Anna. Eux, je ne connais pas leurs noms, c'est trop bête, mais ils viennent souvent ici.

— Je joue super bien au rugby, mentit James, furieux que sa nouvelle amie puisse éprouver de l'intérêt pour des garçons plus âgés que lui.

Lauren aurait adoré lui en coller une et le traiter publiquement de mythomane, mais les agents étaient autorisés à apporter des modifications à leur scénario de couverture — pourvu que ces précisions servent les intérêts de la mission — et il était formellement interdit de contredire un coéquipier.

— Tu es vachement musclé, James, ronronna Anna en dispersant dans ses cheveux une pluie de pétales jaunes.

Il était évident que James craquait pour cette gourde et n'allait pas tarder à l'embrasser à pleine bouche. Craignant de vomir si elle assistait à un tel spectacle, Lauren envisagea de rejoindre Kyle, mais elle redoutait que son jeune âge ne refroidisse ses nouveaux camarades.

— Bon, c'est mort ici ! lança-t-elle. Je rentre à la maison. Au moins, là-bas, il y a la télé.

— Je t'ai vue distribuer des sandwiches, tout à l'heure, dit James. Tu pourrais nous en amener ?

— C'est ça, dans tes rêves. Allez, à plus.

Sur ces mots, elle tourna les talons et prit la direction du cottage. Elle avait le sentiment désagréable que ses coéquipiers avaient marqué des points tandis qu'elle n'avait, pour sa part, récolté que de douloureuses ampoules aux talons.

Kyle avait la conviction de tenir quelque chose. Tom et Viv Carter avaient respectivement dix-sept et dix-neuf ans. Avec leur barbe d'adulte et leurs cheveux noir de jais, ils étaient bâtis comme des toilettes de chantier. Les deux frères se donnaient des airs de néandertaliens arrogants, un profil typique des élèves issus des écoles privées rurales, mais il n'avait pas eu à gratter en profondeur pour découvrir des personnalités plus complexes qu'ils ne le laissaient paraître.

Il les avait rencontrés une heure plus tôt devant le pub de Corbyn Copse. Ils avaient débarqué à bord d'une MG rincée et avaient aussitôt été pris à partie par des habitants du village. Viv avait baissé son short et son caleçon, puis s'était publiquement donné de grandes claques sur les fesses. Le rire tonitruant de Kyle avait suscité leur sympathie. Ils avaient proposé de l'accompagner.

Tom, le cadet, était plus réservé que son frère. Il venait d'obtenir son bac. Il ne parlait pas beaucoup, mais ses propos étaient dignes d'intérêt. Viv, lui, était étudiant à l'université de l'Avon. Il avait une mèche décolorée et un piercing à la langue. Il prenait plaisir à se comporter comme un soudard et à provoquer ses interlocuteurs.

Assis dans le champ de colza, Kyle avait le sentiment de maîtriser la situation. Il mêlait habilement questions relatives à l'enquête et considérations sans importance. Il balançait stupidement la tête en écoutant le CD de Scott Walker qui passait sur la mini-chaîne de Viv. Il l'écouta attentivement parler de son séjour à Barcelone. Il sourit lorsqu'il lui raconta comment il s'était endormi assis dans un urinoir lors d'un concert de Green Day.

Kyle orienta subtilement la conversation afin de se faire une idée de leur degré d'implication dans le mouvement libérationniste. Les deux frères lui avouèrent qu'ils estimaient qu'il était justifié de tuer un homme si ce meurtre permettait de sauver un nombre significatif d'animaux. Cependant, Tom semblait considérer que les attaques visant les employés de Malarek discréditaient la cause libérationniste aux yeux de l'opinion publique.

Au moment où Lauren disparut derrière la haie, un jeune homme au physique de premier de la classe se joignit à eux. Il se prénommait George. Il avait environ vingt-cinq ans. Il adressa à Kyle un regard méfiant.

— C'est bon, Kyle est des nôtres, expliqua Viv. Il vient de s'installer dans le village. C'est le beau-fils de Ryan Quinn.

George afficha une expression stupéfaite.

— Je ne savais pas que Quinn avait une femme, fit-il observer.

— Ma mère l'a rencontré quand il était en prison. Ils ne sont pas encore mariés, en fait.

— Ta mère doit être complètement cintrée pour coucher avec un taulard, ricana Viv.

— Bof, moi, je m'en fous, affirma Kyle. De toute façon, personne ne choisit ses parents.

— Quinn est un mec remarquable, dit George sur un ton théâtral. On lui doit tout. De mon point de vue, les fondateurs de Zebra 84 sont des héros.

— Mais oui, tout le monde adore Quinn, railla Viv. Il aurait juste dû serrer légèrement les boulons, si tu veux mon avis. Ils me font bien marrer, tous ces ringards de l'Alliance Zebra. C'est qu'une bande de bobos qui pissent de trouille dès qu'ils voient rappliquer un flic.

En guise de conclusion, il cracha sur le sol avec mépris. George était hors de lui.

— Ah ouais ? Et on en serait où, sans ces bobos et leurs virements automatiques ? répliqua-t-il.

— Bon, calmez-vous, les mecs, dit Tom. Est-ce que l'équipement est arrivé ?

— Ouais, Mel a tout apporté dans la Volvo de son père, répondit George avant de se tourner vers Kyle. Écoute, ne le prends pas mal, mais il faut qu'on parle de choses sérieuses. Tu pourrais t'éloigner un moment ?

— Pas de problème. Tom, j'ai ton numéro de portable. Je t'appelle à propos de cette réunion à l'université.

— C'est bon, tu peux rester. George, Kyle est avec nous. Pourquoi ne pas lui proposer de participer à l'opération ?

— Désolé, mais je ne travaille qu'avec les gens que je connais.

Kyle aurait aimé savoir ce qui se tramait, mais il se

refusait à se montrer trop insistant, de crainte d'éveiller les soupçons de ses nouveaux camarades.

— Vous en faites pas pour ça, dit-il. Je ne sais pas de quelle opération vous parlez, mais je vous souhaite bonne chance.

Au moment même où il tourna les talons, il vit James courir dans sa direction.

— Ça dégénère grave à l'entrée du labo ! cria ce dernier. La mère d'Anna est venue la chercher. Les vieux se sont tirés. Deux bus bourrés d'étudiants viennent d'arriver. Ils hurlent comme des dingues, c'est la folie !

George consulta sa montre.

— Les renforts de Madeline Laing, pile à l'heure ! lâcha-t-il.

— Qu'est-ce qu'ils foutent ici ? demanda Kyle.

— Il paraît que Malarek doit recevoir une livraison de singes, expliqua Viv.

— Pourquoi ils ne font pas ça en semaine, quand il n'y a presque pas de manifestants ? s'étonna James.

Tom et Viv avaient déjà rencontré James, mais George ignorait qui il était.

— T'as quel âge ? demanda-t-il.

— Quatorze ans.

— Quatorze ans ? Et t'as compris tout de suite que la police et la direction du labo nous prenaient pour des cons ?

— Allez, dit Viv. Dis-leur ce qui se passe, Georgie Boy. Ces gars pensent comme nous. Leur mère est maquée avec Ryan Quinn. Arrête de faire ta tête de con.

— Il n'en est pas question. On ne va pas ramasser deux inconnus dix minutes avant une opération soigneusement planifiée. C'est le meilleur moyen de finir tous en cabane.

— Arrête de te la péter, tête de nœud. *Une opération soigneusement planifiée!* Mais tu te prends pour qui, Ducon?

George consulta à nouveau sa montre.

— Bon, je n'ai vraiment pas le temps de me lancer dans une polémique. Ça marche, explique-leur le topo. Mais c'est la *dernière* fois que je bosse avec toi, Viv. Tu es absolument incontrôlable.

— C'est ça, va te faire foutre! brailla Viv avant de se tourner vers Kyle et James. Il y a dix jours, on ne sait pas trop comment, on a été informés que des singes vivants allaient être livrés au labo dans un camion anonyme, à seize heures, aujourd'hui même. Le comité de l'Alliance a fait sa petite enquête et découvert que c'était un coup monté par la police. Leur but, c'était de nous chauffer grave de façon à ce qu'on foute la merde, histoire de procéder à un maximum d'arrestations. Ce que ces minables ne savent pas, c'est que les étudiants qui viennent de débarquer à l'entrée ont reçu l'ordre de laisser passer le convoi sans faire un geste.

— Pour que les policiers passent pour des cons? questionna Kyle.

— Ça, c'est sûr, ils ne vont pas y couper! gloussa Viv. Mais c'est pas tout. Vous avez vu comme la route est étroite? Les flics ont garé leurs bagnoles et leurs fourgons sur des centaines de mètres. Quand ils seront regroupés devant le portail pour contrôler ces étudiants parfaitement pacifiques, on sortira des buissons et on fera un peu de tuning, si vous voyez ce que je veux dire.

Kyle hocha la tête. James explosa de rire.

— C'est trop génial ! s'exclama-t-il. Je veux participer à ce bordel. J'ai toujours rêvé de défoncer une caisse de la police.

— Eh ! bon esprit, petit ! lâcha Viv en lui adressant une violente claque dans le dos.

Tom se tourna vers Kyle.

— Et toi, tu viens avec nous ?

— Ça me semble complètement dingue, mais je me suis juré de tout essayer au moins une fois dans ma vie.

— Très bien, grogna George, l'air accablé. On est super en retard. Il va falloir courir.

12. Vive la révolution !

James s'amusait de voir George galoper maladroitement dans les plants de colza. Ses membres squelet-
tiques battaient les airs. Sa veste militaire flottait dans
son dos, semblable à la cape d'un super-héros au rabais.

Ils traversèrent deux champs, enjambèrent un
portail métallique et se retrouvèrent sur la nationale
menant à l'autoroute.

Des véhicules de police, voitures de patrouille, bus et
fourgons, étaient garés pare-chocs contre pare-chocs.
Les véhicules des curieux qui fuyaient le complexe
Malarek roulaient au pas sur l'étroite bande de chaussée disponible.

James était impressionné par l'ampleur du
déploiement.

— Ils ont débarqué en force, dit-il.

— Il doit y avoir au moins deux cents flics et
soixante-dix à quatre-vingts véhicules, précisa Tom. À
chaque fois qu'ils décident de procéder à des arrestations, ils prévoient deux policiers par manifestant.

— Tu as déjà été arrêté ?

— Six fois en tout. Et toi ?

Le scénario de couverture de James ne prévoyait pas ce détail.

— Non, dit-il. T'es passé devant un juge ?

— J'ai écopé de plusieurs amendes pour vandalisme, mais rien de sérieux. Viv, lui, a pris six mois avec sursis pour avoir détruit une boucherie.

— Cool.

James se félicitait d'avoir recueilli cette confidence. Dès son retour au cottage, il suggérerait à Zara d'étudier en profondeur le passé criminel de Viv.

Ils remontèrent la route au pas de course, se glissèrent par une brèche dans la haie opposée, puis sprintèrent sur un sentier menant à une grange à l'abandon dont les portes avaient littéralement pourri sur leurs gonds.

Une quinzaine de membres de l'Alliance, des adolescents pour la plupart, étaient rassemblés à l'intérieur du bâtiment. Ils portaient des vêtements sombres équipés de capuches. Quelques-uns exhibaient piercings et tatouages, mais la plupart ne présentaient aucun signe distinctif susceptible d'attirer l'attention.

George s'approcha d'une femme qui tenait un talkie-walkie. Cette dernière, visiblement furieuse, lui glissa quelques mots à l'oreille. Un militant remit à James, Kyle, Tom et Viv des cagoules et des gants en caoutchouc.

— Bon, tout le monde est *enfin* là, annonça la femme en jetant un œil noir à George. Enfilez vos gants avant de prendre un marteau et un pulvérisateur à la sortie de la grange. Ne jouez pas les héros. Je veux que chacun de vous massacre une ou deux voitures, pas plus. Ensuite, vous vous disperserez dans les champs. Souvenez-vous que les voitures de patrouille sont équipées de caméras de surveillance embarquées qui fonctionnent sans interruption : vous devrez garder vos cagoules pendant toute la durée de l'opération. Abandonnez les marteaux et les pulvérisateurs sur place — si vous n'avez pas été assez débiles pour y laisser vos empreintes — mais gardez votre cagoule et vos gants jusqu'à ce que vous puissiez les incinérer. Si vous êtes interpellés, gardez le silence. Restez polis, même si les flics vous provoquent, et demandez à parler à un avocat du cabinet Parker, Lane & Figgis. L'Alliance couvrira vos frais de justice, sauf si vous coopérez avec la police. Surtout, mémorisez bien ces noms : Parker, Lane & Figgis. Allez, c'est parti !

Les membres du commando quittèrent la grange, enfilèrent leurs gants et leur cagoule, puis s'emparèrent d'un marteau et d'un cylindre équipé d'une sangle dans le coffre d'un break Volvo.

— Qu'est-ce qu'il y a là-dedans ? demanda Kyle à Viv en examinant le liquide bleu clair contenu dans le récipient transparent.

— Du dissolvant ultra-puissant. Corrosif et extrêmement inflammable. Ça fait fondre la peinture, les matières plastiques et les tissus synthétiques. Fais gaffe à ne pas en foutre sur tes vêtements.

— OK ! lança la femme. Je viens de recevoir le feu vert. Les flics ont mordu à l'hameçon. Ils sont regroupés en tenue antiémeute à l'entrée du labo. L'un de nos hommes vient de m'informer que le camion s'est engagé sur la bretelle de l'autoroute. Bonne chance à tous et n'oubliez pas la règle d'or : pas de prise de risque inutile. En cas de problème, tirez-vous aussi vite que possible.

Les activistes poussèrent une exclamation guerrière puis se ruèrent vers la route en ordre dispersé. George se plaça devant Viv de façon à lui bloquer le passage.

— Tu ne t'en tireras pas si facilement, dit-il. J'ai l'intention de parler de toi à la réunion du comité, mercredi soir. Ton comportement va finir par nous causer des ennuis.

Viv brandit un poing menaçant.

— Tu me les gonfles, George. Tu n'es bon qu'à pondre des rapports. Tu n'as rien dans le slip. Dégage de mon chemin si tu ne veux pas d'ennuis.

— Nous verrons bien ce qu'en pensent les responsables de l'Alliance.

Viv le toisa avec mépris, puis les quatre garçons se remirent en route.

— Tu devrais quand même faire gaffe, dit Tom à son frère. Le comité ne jure que par Georgie Boy. Tu vas te faire virer, si tu continues comme ça.

— Je m'en fous. Je suis un anarchiste. J'aurais jamais dû m'engager dans une organisation aussi hiérarchisée.

Le groupe parcourut cinq cents mètres à l'abri des haies jusqu'au chemin de terre qui reliait une petite exploitation agricole à la route principale. Cinq véhicules de police étaient stationnés sur le bas-côté. Il n'y avait pas l'ombre d'un policier dans les parages.

James sentit un flot d'adrénaline déferler dans ses veines.

— *Vive la révolution !*[1] hurla Viv avant d'abattre son marteau sur le toit d'un fourgon.

James courut jusqu'à une voiture de patrouille BMW, détruisit l'un des rétroviseurs extérieurs, puis fit calmement le tour du véhicule en pulvérisant toutes les vitres. Enfin, il s'acharna sur le pare-brise sans en venir à bout.

— Laisse tomber, c'est du verre renforcé ! lança Tom. Asperge du dissolvant à l'intérieur.

James introduisit l'extrémité du tuyau flexible du pulvérisateur par une vitre brisée et actionna la pompe fixée au cylindre en plastique. Tandis qu'il regardait le tableau de bord se couvrir de cloques, il prit conscience du chaos absolu qui régnait autour de lui. Répartis sur près de cent mètres, les activistes se déchaînaient sur les carrosseries, provoquant un vacarme infernal.

Alors qu'il s'apprêtait à inonder la carrosserie extérieure de la voiture, une soudaine réaction chimique se produisit et d'épaisses volutes grises s'échappèrent de l'habitacle.

---

1. En français dans le texte (NdT).

Pris à la gorge, James recula vers le centre de la chaussée. Une détonation métallique retentit dans un van stationné sur sa gauche. Il se tourna vivement et vit une boule de feu jaillir des portes arrière.

— Nom de Dieu! s'étrangla-t-il en enfouissant son visage entre ses mains.

Viv posa une main sur son épaule.

— Elle est pas belle, la vie? lança ce dernier, visiblement enchanté par la tournure sauvage que prenaient les événements.

— C'était quoi, cette explosion? questionna James, totalement désorienté par la fumée et le tumulte environnants.

Viv lui tendit un tube de carton.

— J'ai amené quelques pétards. Je me suis dit que ça mettrait un peu d'animation.

James, secoué d'une violente quinte de toux, aperçut alors un policier qui courait dans leur direction sur le bas-côté de la route.

— Eh! jette de ce truc en vitesse! cria Viv.

Soudain, James réalisa que la mèche du pétard qu'il tenait dans la main gauche était allumée. Terrorisé, il le lança de toutes ses forces au-dessus des voitures vandalisées. Il explosa dans les airs, à quelques mètres du policier.

— Espèce de malade! s'exclama Viv, ivre de joie. Tu as failli dégommer ce salaud de flic!

— J'ai pas fait exprès, bégaya James. Je voulais juste me débarrasser de ce pétard.

Il constata avec soulagement que le policier n'était pas touché. Il avait eu affaire aux représentants des forces de l'ordre à plusieurs reprises et n'éprouvait aucune sympathie particulière à leur égard, mais il n'avait jamais eu l'intention de commettre un tel attentat.

— Tirons-nous d'ici, dit Viv. S'ils nous chopent après ce que tu viens de faire, je ne donne pas cher de notre peau.

Kyle et Tom, après avoir détruit un fourgon cellulaire et deux voitures de patrouille, avaient battu en retraite avec les autres activistes, en abandonnant leur matériel au moment où ils avaient entendu l'explosion à l'intérieur du van.

— Enlève tes gants et ta cagoule ! lança Viv sans cesser de courir. Tu déchires, James. Tu es un cinglé de tueur de flic, un vrai petit terroriste !

James esquissa un sourire. En réalité, il imaginait avec effroi ce qui aurait pu se produire s'il n'avait pas réalisé *in extremis* que le pétard était allumé.

Cela ne faisait plus aucun doute : Viv Carter était un dangereux déséquilibré doublé d'un criminel en puissance.

13. Biscottes suédoises

« *Les deux responsables de l'Alliance Zebra arrêtés au cours de l'émeute ont été relâchés faute de preuves. Au total, ce sont trente-trois véhicules qui ont été pris pour cible, dont vingt-cinq ont été déclarés bons pour la casse. Selon les autorités, le montant des dégâts pourrait dépasser un demi-million de livres.*

Derek Miller, le chef de la police de l'Avon, a confirmé se trouver désormais confronté à une pénurie de voitures de patrouille, sans pour autant admettre que cette situation pourrait remettre en cause l'efficacité de son action. Il a refusé de commenter les rumeurs affirmant que ce déchaînement de violence serait la conséquence de fausses informations communiquées aux activistes libérationnistes. Cependant, selon des sources officielles, trois officiers appartenant à ses services ont été suspendus et une enquête interne diligentée à leur encontre. »

BBC, antenne régionale de Bristol.

En règle générale, Lauren adorait déballer les vêtements neufs, déchirer l'enveloppe de cellophane, détacher les étiquettes et ôter les autocollants. Mais le paquet que Zara avait déposé sur son lit contenait une affreuse chemise grise, des chaussettes hautes et une blouse blanche. Elle entendait James et Kyle se disputer dans la salle de bains. Ryan était pendu au téléphone depuis des heures. Il était hors de lui. Ce n'était que *cette putain de Madeline Laing* par ci et *cette putain de Madeline Laing* par là.

Lauren, qui pouvait courir dix kilomètres avec un sac à dos bourré de matériel, parlait trois langues et savait cuisiner n'importe quel animal sauvage de cinq façons différentes, redoutait plus que tout les premières heures passées dans les établissements inconnus qu'on la forçait à fréquenter lors des missions d'infiltration.

À ses yeux, tous les collèges se ressemblaient. Elle savait qu'elle allait devoir supporter les manœuvres grossières des dragueurs de service, que des filles allaient la snober sous prétexte qu'elle ne faisait pas partie de leur bande et que les professeurs se soucieraient de son cas comme de leur première chemise.

Elle souleva le couvercle d'une boîte en carton et en sortit l'étonnante paire de chaussures que Zara avait commandée par correspondance dans une boutique de produits vegans. La photo figurant sur le catalogue était extrêmement flatteuse. En réalité, elles semblaient avoir été taillées dans une feuille de lino épais et brillant. Leurs semelles ressemblaient à s'y méprendre aux biscottes suédoises dont sa mère se gavait chaque fois qu'elle prétendait s'être mise au régime.

Elle les considéra d'un air accablé. À l'évidence, elle ne pourrait pénétrer dans une salle de classe chaussée de telles horreurs sans passer pour un cas social. Elle se dit qu'il y avait plus malheureux qu'elle — des amputés des deux bras ou des nourrissons sous-alimentés —, inspira profondément et chaussa les abominables mocassins.

La mort dans l'âme, elle quitta sa chambre et retrouva son frère qui, attablé dans la cuisine, portait une paire de baskets en cuir noir.

— Eh, où sont tes chaussures veganes ? s'étonna Lauren.

James éclata de rire.

— Kyle et moi, on préfère mourir que de mettre ces pompes immondes. Si on nous pose des questions, on dira qu'on est devenus vegans depuis qu'on a emménagé avec Ryan, et que notre mère n'a pas les moyens d'acheter des chaussures neuves pour tout le monde.

— Et si l'école interdit le port des baskets ?

James haussa les épaules.

— La plupart des collèges le permettent, du moment qu'elles sont noires et en cuir. Au pire, ils nous demanderont de changer de chaussures à partir de demain.

Lauren tourna aussitôt les talons puis rejoignit sa chambre en toute hâte. Elle se pencha sous son lit mais n'y trouva qu'une paire de Nike blanches et des Converse bleu marine. Elle réalisa qu'elle avait laissé ses baskets noires au campus, ainsi qu'une paire de ballerines en toile gris sombre qui auraient pu faire l'affaire. Elle se redressa et donna un coup de poing rageur dans le matelas.

Soudain, la vitre située dans son dos vola en éclats. Une brique rebondit sur la moquette puis termina sa course contre le radiateur, à l'autre extrémité de la chambre.

— Bande de salauds ! cria une voix depuis l'extérieur. Tirez-vous de notre village !

Lauren se précipita vers la fenêtre et vit un garçon en uniforme, qui devait avoir à peu près son âge, détaler à travers champs. Zara fit irruption dans la pièce. L'air médusé, elle contempla les bouts de verre qui jonchaient la moquette.

— Tu vas bien ?

— Ouais super, répondit Lauren dans un souffle. J'ai vu celui qui a fait ça. Je vais le choper !

Elle traversa la cuisine et franchit la porte donnant sur l'arrière du cottage. Ses étranges chaussures ne lui permettaient pas d'atteindre sa vitesse de pointe, mais l'inconnu qui courait devant elle perdait rapidement du terrain.

— Je vais te massacrer ! hurla-t-elle sans se soucier des hautes herbes qui fouettaient ses jambes.

Après avoir franchi d'un bond une barrière rouillée, le garçon s'engagea sur la route rectiligne qui menait aux lotissements modernes de Corbyn Copse. À bout de souffle, il ralentit l'allure et tituba jusqu'à la bande de pelouse qui séparait deux pavillons.

— Je te tiens ! lança triomphalement Lauren en saisissant son adversaire par la taille.

Ce dernier tenta de lui porter un coup de poing au visage mais elle esquiva habilement l'attaque avant de saisir sa cheville, de l'envoyer rouler dans l'herbe puis de l'immobiliser en posant ses genoux sur ses bras. Le garçon, qui la dominait d'une dizaine de centimètres, semblait stupéfait de l'aisance avec laquelle une fille de son âge était parvenue à le maîtriser.

— Tu aurais pu me crever un œil avec ces bouts de verre, gronda Lauren.

L'inconnu lui cracha au visage.

— Tu l'aurais bien mérité !

Au prix d'un intense effort de volonté, Lauren parvint à garder son calme.

— Et tu peux me dire ce que je t'ai fait ?

— Lâche-moi, ou tu vas le regretter !

Elle saisit le nez du garçon entre le pouce et l'index et le tordit violemment.

— Attends, tu crois vraiment que tu m'impressionnes ?

— Laisse-moi partir, *salope* !

La course-poursuite n'ayant duré que quelques secondes, Lauren n'avait pas eu le temps de réfléchir à ce qu'elle ferait de son adversaire une fois capturé. Elle pouvait le ramener à la maison par la peau des fesses et appeler la police, mais elle jugeait préférable de régler le différend avec discrétion. Sa connaissance des techniques de combat lui permettait d'assommer son ennemi, de lui casser les bras et même de l'envoyer au cimetière, mais ces mesures lui semblaient disproportionnées. Cependant, le garçon avait lancé une brique dans la fenêtre de sa chambre et lui avait craché au visage. Il était hors de question de le laisser se tirer d'affaire sans lui infliger une bonne leçon.

— Lève-toi, minable ! ordonna-t-elle.

Son adversaire ignorait qu'elle avait suivi un entraînement digne d'un membre des forces spéciales. Il pensait qu'elle n'était qu'une jeune fille comme les autres qui n'avait pu le neutraliser qu'à la faveur d'un malheureux coup du sort. Dès que Lauren se redressa, il roula sur le dos et lui adressa un violent coup de botte au menton.

Habituée à encaisser les coups les plus douloureux, elle saisit calmement le poignet de son adversaire, le retourna sur le ventre, enfonça le talon de sa chaussure entre ses omoplates, puis lui tordit le bras dans le dos.

— Oh ! mais c'est que ça se croit balèze, ricana Lauren. Si tu tentes encore quoi que ce soit, tu devras expliquer à tes copains comment tu t'es fait démonter par une nana plus petite que toi.

— S'il te plaît, gémit le garçon.

Lauren accentua la pression sur le bras de son adversaire. L'articulation de son épaule était au bord de la rupture.

— Je te lâche si tu promets que tu ne me joueras plus de coup tordu.

— *D'accord.*

Lauren relâcha sa proie. Le garçon s'assit dans l'herbe et massa son épaule douloureuse.

— Sympas, tes bottes ! lança-t-elle en examinant ses Timberland flambant neuves. Tu chausses du combien ?

— Du trente-cinq et demi.

— C'est un peu grand mais ça devrait aller. File-les-moi. Et enlève ton pantalon, pendant que tu y es.

Stupéfait, le garçon resta parfaitement immobile.

— Écoute, je te laisse le choix, ajouta-t-elle. Soit tu fais ce que je te demande, soit je te tabasse à mort.

Son souffre-douleur commença à délacer ses bottes. Lorsqu'il les eut retirées, il se leva, défit sa ceinture et ôta son pantalon en se tortillant lamentablement.

Lauren ramassa le vêtement et en inspecta les poches. Elle y trouva un porte-clés qu'elle laissa tomber dans l'herbe, puis un Kleenex propre avec lequel elle essuya le crachat qui dégoulinait sur sa joue. Enfin, elle dénicha un portefeuille en nylon.

— Voyons voir, chantonna-t-elle en soulevant l'attache Velcro.

Elle en sortit une carte de membre d'un club sportif et un pass d'abonné de la compagnie des bus. Elle lut à haute voix :

— Stuart Pierce, né le 8 mai 1994, 21 Villas Nicholson, Corbyn Copse, Avon. Pas terrible, la photo.

Elle replaça les documents dans le portefeuille et le lui jeta au visage. Debout sur la pelouse, en caleçon et en chaussettes, le garçon était au bord des larmes. Elle roula le pantalon en boule et le jeta dans l'arbre le plus proche. Il s'accrocha à une haute branche, hors de portée de Stuart.

— Si toi ou un de tes copains ose s'approcher de ma maison, je t'envoie à l'hôpital, cracha Lauren en se penchant pour ramasser les bottes. Et merci pour le cadeau, petit gars. C'est exactement ce dont j'avais besoin.

∴

Lauren enfila deux paires de chaussettes puis pulvérisa une giclée de désodorisant dans les bottes avant d'y glisser ses pieds. Les trois agents marchèrent d'un pas vif vers l'arrêt du car scolaire. Chemin faisant, James ne cessait de ricaner :

— Ce pauvre type va devoir rentrer chez lui en caleçon ! Tu es *absolument* diabolique, Lauren.

— J'aurais pu être blessée par des éclats de verre, et ce petit salaud n'a rien trouvé de mieux que de me cracher au visage. Cela dit, t'as pas tort, ça m'a bien éclatée de lui foutre la honte. Finalement, les instructeurs ont raison quand ils disent que le pouvoir finit par nous monter à la tête.

— Ça craint pour ta gueule, s'il te dénonce à ses parents ou à la police.

— Je te garantis qu'il la bouclera. Je lui ai piqué ses bottes, c'est vrai, mais il a défoncé ma fenêtre, ce qui est dix fois pire.

— Stuart Pierce ? s'exclama triomphalement Kyle. C'est bien ce que tu as dit ?

— Ouais, dit Lauren.

— Ça y est, je me souviens. J'ai lu ce nom dans un rapport concernant l'agression d'une certaine Christine Pierce par un commando de la MLA. Elle vit à Corbyn Copse. Elle a deux fils, Stuart et Andy. Je parie que c'est pour ça qu'il s'en est pris à notre maison.

— Ouais, ça me revient aussi, dit James. Ils lui ont jeté de la peinture émaillée au visage et elle a perdu la vue.

Lauren s'immobilisa puis fixa ses bottes d'un air coupable.

— Le pauvre, murmura-t-elle. J'étais pas au courant. J'ai honte de porter ces pompes. Tout le monde va me détester. Je ferai mieux de repasser à la maison pour récupérer ces affreuses godasses de hippie.

James consulta sa montre.

— Impossible, on est à la bourre.

L'arrêt de bus se trouvait le long de la route parfaitement rectiligne qui séparait le vieux village des lotissements modernes, non loin de l'endroit où Lauren avait humilié Stuart. Dès qu'ils approchèrent, trois adolescents à la silhouette athlétique vinrent à leur rencontre.

— On ne veut pas d'ennuis, lança Kyle.

Du coin de l'œil, Lauren remarqua que Stuart était assis sur un muret, à une vingtaine de mètres. Il portait un pantalon et des baskets mais se tenait l'épaule, un rictus douloureux sur le visage. Ses yeux étaient rouges.

À l'évidence, il avait pleuré toutes les larmes de son corps.

— Ah ! ouais, vous ne voulez pas d'ennuis ? répéta un garçon au regard glacial, en collant son torse contre celui de Kyle.

Ses traits ressemblaient à s'y méprendre à ceux de Stuart. Ses joues étaient criblées de boutons. Lauren comprit aussitôt qu'il s'agissait de son grand frère.

— Pourtant, on dirait vraiment que vous cherchez à vous faire botter le cul, dit l'un de ses camarades en se plantant devant James.

— OK, on va se battre, si ça peut vous fait plaisir, répliqua James sur un ton provocateur. Vous savez pas à qui vous avez affaire…

Kyle, qui n'ignorait rien du caractère explosif de son coéquipier, le saisit par les épaules et le tira en arrière.

— Eh ! on se calme, les mecs. Je sais qui tu es, Andy. J'ai lu ce qui est arrivé à ta mère dans les journaux, et je suis sincèrement désolé. Seulement, il va bien falloir qu'on trouve un moyen de vivre tous ensemble, et…

— Je ne te permets même pas de parler de ma mère ! hurla Andy Pierce. Elle est aveugle, elle a perdu son job et notre maison va sans doute être saisie à cause de connards dans votre genre.

La plupart des élèves qui patientaient à l'arrêt de bus manifestèrent bruyamment leur soutien au garçon.

— Notre mère à nous s'est maquée avec un type qu'on n'a pas choisi, expliqua Kyle. On a été forcés de déménager dans ce village. On n'y est absolument pour rien.

Tandis que Kyle et Andy se disputaient, le garçon qui avait pris James à partie chuchota à son oreille :

— *Tu n'es qu'un fils de pute.*

— Qu'est-ce que t'as dit, tête de nœud ? demanda James.

— J'ai dit : *tu n'es qu'un fils de pute.*

James fit deux pas en arrière et adopta une posture de combat.

— OK, tu l'auras voulu, gros tas. Viens prendre ta raclée. Montre-moi ce que t'as dans le pantalon.

Le garçon tenta de lui porter un coup de poing. James le para adroitement, puis riposta par un direct en pleine face. Ce n'était pas le coup dévastateur qu'il aurait aimé infliger à son agresseur, mais il eut la satisfaction de voir ce dernier tituber en arrière avant de s'adosser à un poteau et de cracher un filet de sang sur la chaussée.

— Quelqu'un d'autre veut essayer ? lança-t-il.

Cette échauffourée avait porté la tension à son comble. Les garçons du village encourageaient Andy et ses camarades à corriger pour de bon Kyle et ses soi-disant frère et sœur.

Lauren, persuadée qu'une bagarre générale était sur le point d'éclater, vit avec soulagement le bus scolaire apparaître au bout de la route.

Les trois coéquipiers essuyèrent quelques insultes mais parvinrent à monter à bord du véhicule. Les deux garçons s'installèrent sur une banquette, à l'écart des jeunes du village.

— Espèce de crétin, chuchota Kyle. Tu ne peux pas rester calme cinq minutes d'affilée ?

James haussa les épaules. À l'évidence, il ne regrettait pas son comportement.

— Il fallait que je les remette à leur place. Je voulais leur foutre la trouille, histoire de les dissuader de s'en prendre à Lauren dès que j'aurai le dos tourné.

Cette dernière s'était assise à la droite de Stuart.

— J'étais pas au courant, pour ta mère, chuchotat-elle. Je ne peux pas me pointer au lycée en chaussettes, mais ce soir, je passerai chez toi pour te rendre les bottes.

Stuart lui lança un regard noir.

— Tu peux les garder, gronda-t-il. Tu as foutu tes pieds dedans, et je n'ai aucune envie d'attraper des saloperies.

14. Idées noires

Dès les premières heures de la matinée, le récit de l'humiliation subie par Stuart Pierce fit le tour du collège. Trois jours durant, les élèves, par crainte ou par mépris, refusèrent purement et simplement d'adresser la parole à Lauren. L'ambiance aux abords de l'arrêt de bus restait extrêmement tendue, mais les garçons de Corbyn Copse se contentaient désormais d'attaques verbales.

La mission se déroulait comme prévu, sans connaître d'avancée spectaculaire. Lorsque les agents étaient en cours, Ryan envoyait d'innombrables e-mails et restait pendu au téléphone avec ses anciens complices de l'Alliance Zebra. Zara passait le plus clair de son temps à régler des problèmes domestiques et à remplir de la paperasse, comme l'exigeaient ses fonctions de contrôleuse de mission.

Chaque jour, de retour du collège, Lauren se mêlait aux manifestants rassemblés à l'entrée du laboratoire. Elle continuait à jouer son rôle de jeune fille modèle, distribuant boissons et petits gâteaux à la cannelle aux retraités qui tenaient fidèlement leur poste, pancarte en main, plus de dix heures par jour.

Veufs ou veuves pour la plupart, ces solitaires comblaient le vide de leur existence par un activisme bon enfant. Ils n'avaient pas le profil d'agitateurs radicaux, mais ils partageaient sans se faire prier toutes les rumeurs qui couraient sur les sympathisants de l'Alliance Zebra.

Lauren put ainsi dresser le profil psychologique de plusieurs d'entre eux, du plus pacifique au plus agité. On murmurait même qu'un policier avait infiltré la petite communauté des libérationnistes.

Ces informations n'étaient pas étayées par des arguments solides, mais Lauren remit à Zara une liste des noms qui revenaient le plus souvent au cours de ces conversations informelles. Lorsque la contrôleuse de mission la compara à la base de données informatique des services de renseignement, elle constata que la plupart des suspects avaient déjà été condamnés pour des actes de vandalisme commis au nom de la cause des animaux. En outre, elle découvrit que l'une des militantes était bel et bien un policier en mission d'infiltration.

Chaque soir, leurs devoirs achevés, Kyle et James rejoignaient Lauren devant le portail, à l'heure où les retraités remballaient chaises de camping et journaux pour céder la place à une foule composée d'étudiants et de marginaux plus ou moins ivres. C'était un rassemblement joyeux et bruyant. À chaque fois qu'un véhicule entrait ou sortait du complexe, une poignée de manifestants le bombardaient de peinture, d'œufs et de farine avant d'être pris en chasse par les forces de l'ordre.

Les fauteurs de troubles qui ne parvenaient pas à échapper à leurs poursuivants se laissaient menotter sans opposer de résistance sous les applaudissements de leurs partisans, avant d'être conduits à bord d'un fourgon jusqu'au poste de police le plus proche, à vingt kilomètres de Corbyn Copse.

.:.

Le mercredi, Lauren prit la direction du laboratoire peu avant dix-sept heures, les bras chargés de thermos et de paquets de biscuits. Elle parcourut quelques dizaines de mètres dans le pré avant d'apercevoir Stuart Pierce qui se tenait immobile, de l'herbe jusqu'aux genoux. Son visage exprimait désormais davantage de crainte que de rancœur.

— Salut ! lança-il. Je sais que tu m'as demandé de ne plus m'approcher de chez toi, poursuivit-il, mais il fallait que je te parle.

Stuart fréquentait le même établissement scolaire que Lauren. Ils s'étaient croisés lors d'un entraînement de basket, mais n'avaient pas échangé un mot depuis l'incident de lundi.

— D'accord, je suppose que je ne vais pas en mourir, dit-elle en haussant les épaules.

Depuis qu'elle avait appris le drame vécu par Stuart

et sa famille, son animosité initiale avait fait place à la compassion.

Stuart s'approcha, un sourire timide aux lèvres.

— On ne peut pas continuer à se faire la guerre comme ça.

— C'est pas moi qui suis venue te chercher. Qu'est-ce qui t'a pris de balancer cette brique dans ma fenêtre ?

— Je te demande pardon.

Pendant les trois jours passés au collège, Lauren avait observé Stuart. C'était un garçon discret, qui ne faisait pas de vagues et passait le plus clair de son temps en compagnie de son seul ami, un Asiatique maigrichon qui ne vivait pas à Corbyn Copse.

— OK, je te pardonne.

— Tu sais, je ne suis pas violent, normalement. Je n'avais jamais fait un truc pareil. Ta fenêtre est réparée ? J'ai un peu d'argent de côté. Je tiens à te rembourser.

— On a juste mis une planche. C'est une fenêtre à l'ancienne, des morceaux de verre assemblés avec des joints en plomb. L'artisan va mettre des semaines à en fabriquer une nouvelle.

— Oh… murmura Stuart.

— T'inquiète, dit Lauren. Je n'ai pas dit à ma mère que je te connaissais, et elle sera remboursée par l'assurance.

— Cool, soupira-t-il en examinant les chaussures de toile noire de Lauren. Au fait, tu te rappelles quand tu m'as proposé de me rendre mes bottes, dans le bus…

— Elles sont dans ma chambre. J'ai pensé à les laisser devant ta porte, mais j'avais pas envie de tomber sur ton frère et ses copains.

— Andy est un vrai connard. Il se la joue grand frère protecteur pour se faire mousser devant ses potes, mais à l'époque où ma mère travaillait, il n'arrêtait pas de me cogner dès qu'on était seuls à la maison.

Lauren se dirigea vers le cottage.

— Viens, on va aller chercher tes Timberland. Tu sais, c'est horrible ce qui est arrivé à ta mère, mais Ryan et Zara n'ont rien à voir avec la MLA. Ils sont totalement non violents.

— Ouais, j'ai agi sans réfléchir. Où est-ce que tu as appris à te battre ?

Lauren lui servit l'excuse systématiquement employée par les agents CHERUB :

— Mon père était champion universitaire de karaté.

— Génial ! Tu dois être au moins ceinture noire.

— Ouais, deuxième dan. Mes frères sont tous les deux troisième dan.

— J'aimerais bien savoir me défendre. Je suis pas du genre à me laisser faire, mais je n'ai jamais pris de cours. Un jour, j'ai éclaté la tête d'Andy avec un énorme bouquin pour qu'il arrête de me battre. J'ai frappé tellement fort qu'il a vomi sur la moquette.

— T'as dû bien te marrer, gloussa Lauren en franchissant le petit portail menant au jardin du cottage.

Sa chambre se trouvait au rez-de-chaussée. Elle l'occupait depuis moins d'une semaine, mais on aurait pu croire qu'une bombe y avait explosé : le sol était jonché de vêtements, de livres de classe et de canettes de soda vides.

Stuart, l'air coupable, examina la planche de bois posée à l'emplacement de la vitre qu'il avait brisée. Lauren dénicha les bottes sous un monceau de T-shirts sales.

— Je n'ai aucune maladie et je ne les ai portées qu'une journée.

— Merci, sourit le garçon. J'ai dit à ma tante qu'on me les avait piquées dans les vestiaires du stade. J'ai cru qu'elle allait devenir dingue. Faut dire qu'elle les a payées quatre-vingts livres il y a même pas un mois.

— Ta tante ? s'étonna Lauren. Qu'est-ce qu'elle vient faire là-dedans ?

Stuart hocha la tête.

— C'est elle qui s'occupe de nous, maintenant. Elle a emménagé chez nous après l'agression de ma mère. Je pense qu'elle se sent un peu coupable, vu que c'est elle qui lui avait proposé de la rejoindre chez Malarek.

— Elle travaille toujours là-bas ?

— Nan. Elle a démissionné dès que la MLA a commencé à s'en prendre aux employés. Ma mère aussi détestait bosser au labo.

— Pourquoi elle n'a pas cherché un autre boulot ?

— Mon père s'est barré avec une nana en lui laissant un énorme crédit sur le dos. Les employés de Malarek touchent des primes de risque qui leur permettent de gagner trois fois plus qu'un ouvrier agricole ou une caissière de supermarché. En plus, vu les problèmes de sous-effectifs, ils peuvent accumuler les heures supplémentaires. Ma mère pleurait souvent en rentrant du boulot. Elle était juste chargée de nourrir les animaux et de nettoyer les cages au jet d'eau. La direction lui a proposé une formation pour apprendre à faire des piqûres et à distribuer les médicaments. Elle aurait gonflé son salaire, mais elle ne se sentait pas capable d'en faire plus.

— Eh ben, c'est pas la joie, soupira Lauren en jetant un œil à sa montre. Écoute, je ne te mets pas dehors, mais toute la famille doit assister à une réunion de l'Alliance Zebra, ce soir, à l'université. Il faut que je me change.

— Pas de problème. Et merci pour les bottes.

Lauren adressa à Stuart un sourire complice.

— Je n'ai aucun ami au collège, alors si tu veux venir dîner un de ces soirs ou simplement bavarder, fais-moi signe.

— OK. Ma mère est complètement déprimée depuis son agression, et c'est pas la fête à la maison. Des fois, j'ai des idées noires, alors je traîne tout seul dans le village avec des envies de jeter des briques dans les fenêtres.

Lauren éclata de rire.

— La prochaine fois, donne au moins un coup de sonnette pour me prévenir.

15. Un groupe qui en a

Ryan, qui n'avait pas lâché le téléphone de la journée, poursuivit ses entretiens sur la banquette centrale du monospace, au mépris de l'exaspération flagrante des membres de l'équipe.

— Susan... Salut, c'est moi, Ryan. Comment tu vas ? Oui, je serai à la réunion. Je suis en route... Je sais que tu as dit que tu ne voulais pas prendre de décision hâtive, mais j'ai vraiment besoin de savoir si je peux compter sur ton vote, ce soir... Oui, je comprends parfaitement. Je sais bien que Madeline sait s'y prendre pour récolter des fonds, mais franchement, l'Alliance est devenue un vrai foutoir. Plus personne ne prend de décisions. Il y a quelques bonnes idées, des gens super, mais la stratégie n'est pas à la hauteur de l'adversaire. Il faut mettre la pression sur tous les fournisseurs de Malarek, de l'usine qui fabrique le matériel du labo jusqu'au type qui vient réparer la machine à café.

Ryan écouta la réponse de son interlocuteur puis lança d'une voix d'enfant vexé :

— Très bien, comme tu voudras… Au moins, j'aurai essayé. On s'est battus côte à côte pendant de longues années, toi et moi, et j'avoue que tu me déçois profondément.

Ryan referma le téléphone portable et contempla tristement la campagne environnante.

— Encore une qui va voter pour Madeline Laing.

— Tu devrais peut-être te contenter d'un poste au comité de l'Alliance, suggéra Zara. Tu as passé trois ans en prison. Madeline a recruté une foule de nouveaux militants. Qu'est-ce que tu croyais ? Qu'ils te supplieraient de reprendre la tête du mouvement ?

— Sans moi, l'Alliance Zebra n'existerait pas.

Sur ces mots, il composa un autre numéro.

— Salut Sebastian. Comment va ?… Excellent, excellent… Écoute, je ne veux avoir l'air d'insister, mais j'ai besoin de savoir si je peux compter sur ton vote à la réunion de ce soir ?

●●●

L'université était un ensemble de bâtiments de béton nu situé à trente minutes de route de Corbyn Copse. À la nuit tombée, Zara engagea le monospace dans un réseau sinueux d'allées à sens unique. Le véhicule longea les blocs d'habitation puis les bunkers aux façades vitrées où les étudiants assistaient aux cours.

— Dire que j'ai failli faire mes études ici si je n'avais pas été reçue à Yale, soupira Zara.

Elle pila net pour laisser deux équipes de hockey emprunter un passage piéton.

— La vache ! s'étrangla James à la vue d'une minette au look gothique qui portait une minijupe et un piercing à la lèvre. J'ai hâte d'aller en fac.

— Arrête de baver sur la banquette, s'il te plaît, lâcha Zara.

Le mobile de Kyle émit un signal sonore, indiquant qu'il venait de recevoir un SMS.

— C'est Tom ? demanda James.

— Ouais, c'est pas trop tôt. Il propose qu'on se retrouve à la buvette de l'Alliance Zebra. Il dit que Viv va passer devant le comité à cause de l'histoire des pétards.

— Bien fait pour sa gueule. Ils *devraient* virer ce taré. J'ai failli m'arracher la main à cause de lui.

James essaya de s'emparer du téléphone de Kyle, mais ce dernier le rangea aussitôt dans sa poche.

— Pas touche, c'est privé, lança-t-il.

— Eh, ça va. T'as des trucs à me cacher ?

— Ouais, mais ça n'a rien avoir avec la mission, si tu veux tout savoir. James, tu es au courant que l'univers ne tourne pas autour de ton nombril ?

Zara gara le véhicule derrière le centre de conférences, une imposante construction regroupant cinq restaurants, plusieurs bars, un night-club et plus d'une douzaine de salles de réunion réparties sur cinq étages.

Ryan conduisit les membres de l'équipe vers un hall vitré. Il fendit la foule des étudiants jusqu'à un immense tableau de liège où étaient épinglés des centaines de flyers et de petites annonces. Il le parcourut du regard pendant près de deux minutes avant de dénicher l'affichette de l'Alliance Zebra invitant ses sympathisants à se retrouver dans la salle Purcell, au deuxième étage, pour participer à sa soirée hebdomadaire de collecte de fonds. Lauren s'approcha à son tour pour déchiffrer le document :

Entrée £1
Deux consommations pour le prix d'une jusqu'à 21 h 00.

— C'est pas en offrant des boissons qu'ils arriveront à se faire du fric, fit-elle observer.

— Si jeune, si innocente, répliqua Ryan. Quand un étudiant a un verre dans le nez, il ne peut pas s'arrêter de boire.

Plusieurs centaines de personnes étaient rassemblées dans la salle. Lauren salua les militants dont elle avait fait la connaissance devant le portail du laboratoire, puis Ryan, Zara et les trois agents de CHERUB traversèrent une piste de danse déserte pour se diriger vers le bar. Noyés dans un nuage de fumée de cigarette, étudiants et sympathisants libérationnistes, installés à des tables hexagonales, vidaient bière sur bière.

Ryan serra des dizaines de mains, adressa des sourires et serra de vieux camarades dans ses bras.

James et Kyle remarquèrent Tom et Viv assis dans une alcôve aménagée près d'une fenêtre. Ce dernier portait un T-shirt représentant un policier décapité surmonté de l'inscription *Hip hip hip, hourra !* Il avait passé un bras autour du cou d'une fille aux jambes interminables qui semblait tout droit sortie d'un magazine de mode.

— Salut les gars ! lança-t-il. Je vous présente ma copine Sophie.

Kyle serra la main de la jeune fille avant de s'asseoir près de Tom.

— Lui, c'est James, expliqua Viv à sa petite amie. C'est le psychopathe en herbe dont je t'ai parlé. Prends une chaise, gamin.

James s'installa près de Sophie. Elle posa aussitôt un baiser sur sa joue.

— Ah ! oui, le tueur de flics, sourit-elle. Tu peux pas imaginer l'effet que tu as fait sur Viv en lançant ce pétard.

James avait informé Kyle et Zara qu'il n'avait pas visé intentionnellement le policier, mais ce malentendu faisait de lui un héros aux yeux de Viv.

— Qu'est-ce que tu fais ici ? demanda Sophie.

James haussa les épaules.

— Rien de précis. Kyle avait rendez-vous avec Tom, et Ryan voulait présenter ma mère à ses potes. J'ai préféré les accompagner que de rester à la maison à regarder des conneries à la télé toute la soirée.

— Viv, espèce de rat, quand est-ce que tu vas te décider à payer ta tournée ?

— Eh ! je n'ai pas les moyens…

— C'est ça, fous-toi de ma gueule. Ton père possède la moitié des terres du Lincolnshire.

— Ouais, mais je te rappelle que je n'ai pas encore hérité, dit-il tout en ouvrant son portefeuille. Pour ça, faudrait que je me décide une bonne fois pour toutes à liquider ce vieux con.

Il secoua un billet de vingt livres sous le nez de Sophie.

— Tu vois quand tu veux, sourit la jeune fille. Kyle, qu'est-ce que tu prends ?

— Une pinte de Fosters.

— Et toi, James ?

— La même chose.

— Dans tes rêves. Coca ou jus d'orange ?

James sentit le rouge lui monter aux joues.

— Bon, ben… un Coca, alors.

Kyle chuchota quelques mots à l'oreille de Tom. Ce dernier poussa un gloussement étrange. Sophie se leva puis se dirigea vers le bar en roulant des hanches. James, littéralement hypnotisé, était incapable de quitter des yeux cette silhouette de rêve.

Kyle se tourna vers Viv.

— Alors, qu'est-ce qui se passe, avec le comité ?

— Quelle bande de cafards… ricana Viv. Ils vont sans doute me foutre dehors, mais ça ne va pas m'empêcher de dormir. Je suis venu leur dire en face où ils peuvent se la foutre, leur Alliance de mes deux.

— Et qu'est-ce que tu comptes faire, après ? Tu vas laisser tomber la lutte pour la libération des animaux ?

— C'est hors de question. J'ai vu la façon dont ils sont traités, dans l'élevage de mon père. Je suis végétarien depuis l'âge de treize ans.

— Il est agriculteur ? s'étonna James.

— Disons qu'il ne se lève pas à quatre heures pour nettoyer les auges, si c'est ce que tu veux savoir. C'est l'un des plus importants producteurs de porcs du pays. Un demi-million de têtes, ça te dit quelque chose ? Il a soixante-dix ans, maintenant. Il laisse notre demi-frère Clyde s'occuper de l'exploitation.

— C'est un gros con, gronda Tom.

— Bien résumé. À vingt-huit ans, il se balade en Range Rover. Il porte des bottes en caoutchouc et une casquette en tweed. Il marche avec une canne, comme un putain d'aristo.

— On se parle plus depuis que Viv lui a foutu un coup de boule, le soir de Noël, il y a deux ans.

James éclata de rire.

— Sans blague, ricana Tom. Il lui a pété le nez. Je l'ai revu il y a deux mois, par hasard, en rendant visite à ma mère. Il a une tronche de boxeur à la retraite.

Viv écrasa son énorme poing sur la table.

— Moi, quand je cogne, je ne fais pas semblant.

Cette remarque venait à point nommé pour ramener James à la réalité et lui rappeler que Viv était un individu violent et incontrôlable.

— Alors, qu'est-ce que tu vas faire ? répéta Kyle.

Viv haussa les épaules.

— Il y a d'autres groupes dont les membres ne passent pas leur temps à discutailler.

— Ceux de l'Alliance Zebra ne valent pas un clou, ajouta Tom. Tout ce qui les intéresse, c'est d'avoir leur photo dans le journal. Ils refusent de muscler leurs opérations parce qu'ils ont la trouille que leurs sympathisants annulent leurs versements automatiques.

Viv hocha la tête.

— Pour moi, ce n'est même plus un groupe libérationniste.

Kyle saisit l'occasion de pousser plus avant son interrogatoire.

— Vous pensez à une autre organisation en particulier ?

— Ouais, à une ou deux, en fait, dit Viv.

— Si ça continue comme ça, on va tous finir à la MLA ! lança Kyle sur le ton de la plaisanterie, impatient d'observer la réaction des deux frères. Vous avez pas des contacts avec eux ?

— Faut voir, gloussa Viv avant de hausser le ton de façon à être entendu de tous. La MLA, ça c'est un groupe qui en a. L'Alliance Zebra n'est qu'un ramassis de lavettes.

Les militants rassemblés près du bar lui lancèrent un regard noir. Sophie rejoignit la table et posa devant James une pinte de Fosters.

— Finalement, j'ai pensé que notre petit tueur de flics méritait bien une bonne bière, dit-elle. Bois-la discrètement. Je ne veux pas que les autres te voient.

James, tout sourire, porta la pinte à ses lèvres et but cinq longues gorgées. Soudain, il vit Zara, Ryan et George marcher dans sa direction. Il reposa hâtivement le verre sur la table.

George portait un costume marron mal taillé qui lui donnait une allure particulièrement ringarde.

— J'emmène Ryan et Zara à la réunion du comité, dit-il. Viv, tu viens avec nous ou je leur dis que tu m'as remis ta démission ?

— Compte là-dessus, pauvre débile. Tu crois que je vais louper une occasion d'ouvrir ma grande gueule ? Au fait, super sympa, ton costard, Georgie Boy. T'as dû vendre un paquet de grille-pain pour te l'offrir !

— Certains ont besoin de travailler pour vivre, figure-toi. Tout le monde n'a pas la chance d'avoir des parents millionnaires.

Sur ces mots, Viv quitta la table et suivit George, Ryan et Zara hors de la salle.

— Je croyais que la réunion devait avoir lieu ici, s'étonna James.

— Les membres du comité se retrouvent toujours dans des endroits secrets, généralement dans une chambre de la résidence universitaire. Ils sont persuadés que les flics les surveillent en permanence.

James vida la moitié de sa pinte. Sophie le tira discrètement par la manche.

— Viens avec moi.

Elle saisit son verre et le conduisit jusqu'à une table occupée par deux de ses amies.

— Assieds-toi là, dit-elle.

— Pourquoi on se déplace ?

— Je crois que Tom et ton frère aimeraient bien avoir un peu d'intimité.

— Pourquoi ?

Les trois filles éclatèrent de rire.

— Kyle est gay, non ? demanda Sophie.

— Ouais, admit James.

— Ben Tom aussi, gros malin.

James eut une soudaine illumination : les SMS, les rires sous cape, la façon dont les deux garçons restaient assis tout près l'un de l'autre, tout s'expliquait…

16. Le masque tombe

Au fil de la soirée, un flot ininterrompu d'étudiants vint se mêler aux activistes. Lorsqu'il n'y eut plus de place pour s'asseoir, ils s'adossèrent aux murs de la salle puis investirent la piste de danse. Deux stands avaient été aménagés près de la porte. L'un présentait des brochures, des ouvrages libérationnistes et des posters anti-Malarek; l'autre proposait un buffet vegan gratuit. Lauren, fidèle à son rôle de petite fille parfaite, se porta volontaire pour servir les fêtards.

Elle distribua aux étudiants affamés des portions de guacamole et de houmous, des chips de maïs, des champignons marinés et de la salade de fruits. De temps à autre, une poignée d'excités alcoolisés cherchaient les embrouilles ou pillaient allègrement le buffet. Un jeune homme au visage écarlate vêtu d'un polo Fred Perry demanda à Lauren si elle ne cachait pas des brochettes de poulet sous la table pliante.

Elle était prête à supporter cette blague, mais le garçon eut la mauvaise idée de plonger l'index dans un

bol de sauce. Elle attrapa son doigt, le tordit sauvagement puis brandit une fourchette devant son visage tout
en lui adressant son sourire le plus innocent.

— Dégage, lâcha-t-elle en accentuant le mouvement
de torsion de façon à faire passer le message, ou je te
crève un œil.

Humilié, l'ivrogne quitta la salle en titubant. Un
concert d'applaudissements et d'exclamations enthousiastes salua la démonstration de la jeune fille.

— Eh bien ! toi, tu sais te faire respecter, dit Anna
Kent, la femme d'une quarantaine d'années qui tenait
le stand.

Sur ces mots, elle ébouriffa les cheveux de Lauren.
Cette dernière détestait ce geste condescendant. Il lui
rappelait la façon dont sa mère, de son vivant, exprimait
la fierté qu'elle lui inspirait.

.:.

James se sentait un peu étourdi. Il répondait machinalement aux questions de Sophie et de ses deux amies.
Elles lui demandèrent s'il avait une petite amie. Il
affirma qu'il était libre comme l'air. Tour à tour, les
jeunes filles racontèrent dans les moindres détails leur
première aventure sentimentale.

Ces histoires de baisers maladroits, de situations
compromettantes et de parents furieux le firent pleurer
de rire. Les filles lui payèrent des verres, et il ne put
bientôt plus que sourire et glousser stupidement. Au

fond, il était un peu triste, car ses nouvelles amies, qu'il jugeait sublimes, drôles et supérieurement intelligentes, avaient toutes au moins cinq ans de plus que lui. À leurs yeux, il n'était qu'un gamin sans intérêt.

— Eh ben, t'en as mis du temps, dit Sophie lorsque Viv s'assit à ses côtés, le visage écarlate.

— C'est *Règlement de comptes à OK Corral*, là-haut. Ils sont censés élire le dirigeant de l'Alliance, mais je crois qu'ils ne vont pas tarder à se foutre sur la gueule.

James, qui avait subi trois jours durant la campagne téléphonique de Ryan, était curieux de connaître l'issue du scrutin.

— Ils ont déjà voté ?

— Au premier tour, Ryan a été réélu membre du comité à l'unanimité, mais il a clairement fait comprendre qu'il voulait prendre la place de Madeline. En plus, ils étaient furieux qu'il ait amené Zara à la réunion secrète.

— Et toi ? Ils t'ont foutu dehors ?

— Ils ont reconnu que j'étais un super militant, mais ils ont décidé de me suspendre pendant trois mois, alors je leur ai dit d'aller se faire foutre. En sortant, j'ai dit à Georgie Boy que je lui chierais sur la tête si je le trouvais sur mon chemin. Vous auriez vu sa tronche…

James, qui commençait à se sentir franchement gai, ricana bêtement.

— Oh ! mais voilà un comportement très adulte, ironisa Sophie.

— Bon, je tiens pas à moisir ici, dit Viv. Qui veut

faire une virée en bagnole et hurler à la lune ? J'ai du Jack Daniels et de la vodka dans la voiture.

Sa petite amie haussa les épaules.

— OK, j'en suis.

Viv jeta un œil à Tom et Kyle. Les deux garçons étaient désormais blottis l'un contre l'autre, les bras entremêlés.

— Eh, les filles ! leur lança-t-il. On va faire un tour. Vous venez avec nous ?

Ils hochèrent la tête.

— Et toi, le tueur de flics ? Tu nous accompagnes ou ta maman veut que tu te couches tôt ?

James n'avait aucune envie de tenir la chandelle en compagnie de deux couples, mais les termes de sa mission exigeaient qu'il se joigne à l'équipée.

— Normalement, il faut que je sois à la maison à onze heures, dit-il, mais on dirait qu'elle est plutôt occupée, ce soir. Il n'y a personne pour me surveiller.

Lorsqu'il se leva, Kyle lui donna un coup de coude discret puis se dirigea vers les toilettes. James lui emboîta le pas et le rejoignit dans un réduit obscur et puant. L'unique urinoir, bouché par des mégots de cigarette, se déversait sur le carrelage jaunâtre.

— OK, chuchota Kyle. J'ai cuisiné Tom. Il confirme que Viv a prévu de rejoindre un autre groupe libérationniste. Apparemment, c'est un copain de Sophie qui l'a mis sur le coup.

— Tu penses qu'il va s'engager dans la MLA ?

— Je n'en suis pas certain, mais en tout cas, il s'agit

d'un groupe extrémiste. Comme ces organisations se comptent sur les doigts d'une main, les probabilités sont assez élevées.

— Et nous, qu'est-ce qu'on fait ?

— On ne lâche pas les deux frères d'une semelle et on essaye de leur faire comprendre en douceur qu'on a l'intention de s'engager dans des opérations plus radicales.

— Comment je pourrais m'intégrer à cette bande ? Dans ton cas, ça se comprend. Tom et toi, vous vous êtes pratiquement roulé des pelles en public, mais moi, j'ai cinq ans de moins que Viv. Cette histoire de pétard m'a fait gagner des points, mais je doute qu'il veuille traîner avec un gamin de quatorze ans.

— Au moins, tu sais ce que Viv apprécie en toi. Continue à jouer les psychopathes, et je te garantis qu'il ne pourra plus se passer de toi.

∵

Zara gara le monospace devant le cottage à onze heures passées. Lauren s'était endormie sur la banquette arrière. Ryan la porta délicatement jusqu'à sa chambre.

— Il faut que je prenne une douche, gémit-elle. Je pue la clope à dix mètres.

Elle se traîna jusqu'à la salle de bains.

Ryan se laissa tomber dans un fauteuil et enfouit son visage entre ses mains.

— Ces salauds m'ont trahi, gronda-t-il. Cinq voix contre vingt-quatre, voilà tout ce que j'ai récolté pour ces années de taule. Ils peuvent aller se faire foutre, eux et leur comité à la con. Je vais monter ma propre organisation.

— Pas avant la fin de la mission, dit fermement Zara.

— Je te demande pardon ?

— Selon les termes de notre accord, tu dois rejoindre l'Alliance Zebra.

— Il n'en a jamais été question ! Mon rôle consistait à identifier les membres de la MLA infiltrés au sein de l'Alliance. Si je n'ai pas le contrôle de l'organisation, qu'est-ce que tu veux que ça me foute ?

— Ça, c'est ton point de vue. Notre mission à nous, c'est de démanteler la MLA. Je veux que tu réintègres le comité et que tu nous fournisses des informations.

— Tu ne peux pas me demander de faire ça ! J'ai été humilié en public.

— Ravale ta fierté et fais ton boulot.

— Et sinon ? ricana Ryan.

— N'abuse pas de ma patience ! Je suis claquée. J'ai supporté tes conversations téléphoniques toute la journée. Les clauses de ta liberté conditionnelle sont pourtant claires, bon sang. Si tu me mets des bâtons dans les roues, je te garantis que je ferai en sorte que tu te réveilles dans la cellule d'un commissariat de Londres. Tu tiens vraiment à passer trois années de plus en prison ?

— Ah ! enfin, le masque tombe. Voilà le vrai visage

du gouvernement britannique et de sa clique de fascistes en culottes courtes.

— Ryan, j'ai bossé sur cette mission pendant six mois. On a trois agents infiltrés, et on a dépensé plus de deux millions et demi de livres pour acheter la baraque et la voiture. En plus, je suis loin de mes enfants, et ça me met de mauvaise humeur. Dès qu'on aura des infos solides sur la MLA, ton responsable de conditionnelle sera le seul à pouvoir t'empêcher de créer ton groupuscule. D'ici là, tu respecteras notre accord.

Ryan se tortilla nerveusement dans son fauteuil. Il savait qu'il avait perdu la partie.

— Très bien, j'appellerai Madeline demain matin. Je lui présenterai mes excuses et je l'assurerai de ma volonté sincère de travailler avec elle.

Zara regrettait d'avoir dû recourir à la menace, mais l'attitude de Ryan pouvait placer ses agents dans une situation compromettante. Elle ne pouvait pas se permettre de lui laisser franchir la ligne jaune. Il l'avait contrainte à clarifier la situation et à lui rappeler qu'elle disposait de tous les pouvoirs légaux.

— Je vais faire chauffer du cacao au micro-ondes, dit-elle. Tu en veux ?

— Avec du lait de soja ?

— Évidemment. On n'a rien d'autre.

— Je suis désolé, murmura Ryan en se frottant les yeux. Je m'étais imaginé que je serais accueilli en héros. Faut croire que les gens ont la mémoire plus courte que je ne le pensais.

．．

Viv étant trop soûl pour conduire, Sophie avait pris le volant de sa vieille berline Mercedes. Elle freina brutalement à l'entrée d'une allée piétonne et immobilisa le véhicule entre les deux rideaux de fer d'un supermarché.

— C'est là ? demanda-t-elle en scrutant les ténèbres environnantes.

— Ouais, ça ira, répondit Viv avant de descendre de la voiture.

James le rejoignit sur le trottoir.

— Laisse le moteur tourner. Tom, passe-nous le Jack Daniels.

Ce dernier lui tendit une bouteille de whiskey. Viv dévissa le bouchon et but à grands traits.

— Une petite goutte pour te donner du courage, dit-il en passant la bouteille à James.

Celui-ci avala une gorgée de liquide et sentit aussitôt sa gorge s'embraser. Secoué par une violente quinte de toux, il se plia en deux.

— Nom de Dieu, gémit-il en portant une main à son cou.

Sophie, Kyle et Tom éclatèrent de rire. Viv ouvrit le coffre du véhicule puis fouilla dans un fatras d'outils, de cagoules, de gants et de tracts de l'Alliance Zebra. James fut frappé par l'inconséquence du jeune activiste, qui ne semblait pas conscient qu'une simple fouille de la police pouvait l'envoyer tout droit en prison.

Viv saisit une bombe de peinture et un pochoir en carton, puis désigna un fragment de pierre triangulaire qui ressemblait à un morceau de bordure de trottoir.

— Tu crois que tu es capable de porter ça ?

— Je vais me démerder, marmonna James.

Il s'empara du bloc et sentit aussitôt ses muscles se tendre.

À peine Viv se fut-il engagé dans l'allée qu'il trébucha contre un sac-poubelle. James rit à gorge déployée.

— Enfoirés d'éboueurs de merde ! hurla son complice avant d'envoyer valser le sac d'un coup de pied.

James et Viv marchèrent en silence jusqu'à l'entrée principale du supermarché. Les baies coulissantes avaient été verrouillées, mais l'éclairage intérieur était resté allumé.

Les allées étaient encombrées de chariots métalliques. Des manutentionnaires au visage las garnissaient les rayons.

— Tu es prêt ? demanda Viv.

James hocha la tête malgré la violente nausée provoquée par le whiskey. Le pochoir de Viv mesurait près d'un mètre de large. Il jeta un coup d'œil à l'intérieur du magasin pour s'assurer qu'aucun employé ne les avait repérés, le plaqua contre le mur puis actionna la bombe de peinture. Ce procédé était infiniment plus rapide que la technique du tag traditionnel. Lorsqu'il retira le pochoir, James put lire deux mots parfaitement calligraphiés : VIANDE = MEURTRE.

— Excellent ! s'exclama Viv. Maintenant, à toi de jouer, tueur de flics.

James prit trois pas d'élan puis jeta le bloc de pierre dans la porte vitrée qui éclata en un million de fragments. Le projectile poursuivit sa course, démolissant un présentoir garni de demandes de carte de crédit.

Il croisa le regard stupéfait des employés puis détala vers la Mercedes en compagnie de Viv. Il se jeta sur la banquette arrière aux côtés de Tom et Kyle. Lorsqu'il claqua la portière, Sophie avait déjà passé la seconde.

— Yi-haaa ! hurla Viv en faisant un doigt d'honneur à la fenêtre.

17. Pulsions carnassières

Au matin, Lauren retrouva son frère dans la cuisine.

— Qu'est-ce que tu as l'air déchiré ! ricana-t-elle.

— Tu m'étonnes, bredouilla James en repêchant quelques céréales qui flottaient dans son bol de lait de soja.

— À quelle heure t'es rentré ?

— Vers trois heures moins le quart.

— T'as picolé ?

— Deux pintes, trois demis et une gorgée de whiskey dans la voiture.

Kyle, vêtu d'un simple caleçon, tituba dans l'encadrement de la porte. Ses cheveux étaient en désordre et il avait du sang séché sur le lobe de l'oreille.

— Je me rappelle plus ce qui s'est passé, gémit-il. Il y en a plein mon oreiller. J'ai dû coincer ma boucle d'oreille quelque part, et j'étais tellement soûl que je n'ai rien remarqué.

— C'était une putain de soirée, sourit James.

— Ça a l'air de rouler entre Tom et toi, dit Lauren en

se tournant vers Kyle. Il te plaît vraiment ou c'est juste pour la mission ?

— À ton avis ?

— Ben, il est super mignon. Et tout le monde dit qu'il est largement temps que tu te trouves un petit copain.

— Comment ça, *tout le monde* ? demanda Kyle en versant une cuillerée de café soluble dans un mug, espérant que la caféine rétablirait le fonctionnement normal de ses neurones.

— C'est ce qui se dit sur le campus, expliqua Lauren, qui se refusait à citer des noms.

— Bonjour ! s'exclama gaiement Zara en pénétrant dans la cuisine. Eh bien, les garçons, vous n'êtes pas beaux à voir. Vous feriez mieux de vous secouer si vous ne voulez pas louper le bus.

Elle portait des chaussures à talons et un élégant tailleur beige. Ses cheveux étaient rassemblés en chignon sur sa nuque.

— Dis donc, t'es drôlement jolie, dit Lauren avant de bâiller à s'en décrocher la mâchoire.

— Pourquoi t'es déguisée en hôtesse de l'air ? demanda James.

Sa sœur lui donna un coup de pied sous la table.

— Ne sois pas grossier, chuchota-t-elle en fronçant les sourcils.

— Je dois participer à une importante réunion au campus, expliqua Zara.

Elle observa son reflet dans le miroir de l'entrée et corrigea légèrement sa coiffure.

— Ryan vient avec toi ? demanda Kyle.

— Non, il est resté au lit à faire la gueule. J'ai dû le recadrer un peu fermement, la nuit dernière. Il voulait quitter l'Alliance. Je vous demande d'être très gentils avec lui. Il faut qu'on lui remonte le moral.

— Il me fait de la peine, dit Lauren. Ça doit pas être la joie de sortir de prison pour découvrir que tes copains t'ont poignardé dans le dos.

— Tu t'entends bien avec lui, on dirait, sourit Zara.

— Oui, et je trouve qu'il a du courage. Le monde est plein de gens qui ne font que discuter. Ryan est un peu bizarre, des fois, mais il se sacrifie pour la cause à laquelle il croit.

— Franchement, gâcher sa vie pour une histoire de bouffe, je trouve ça complètement débile, dit James.

— Non, c'est pas débile du tout, répliqua Lauren. Si tu avais lu les dossiers qu'on nous a remis avant de partir en mission, au lieu de jouer à la PlayStation et de courir après tout ce qui porte une jupe, tu comprendrais à quel point les hommes sont cruels envers les animaux.

— Arrête ton char ! Les animaux sont cons, et ils ont super bon goût.

— Grandis un peu, James, gronda Lauren en bondissant de sa chaise. Des millions d'animaux sont torturés chaque jour dans les élevages industriels et les laboratoires d'expérimentation. Il faut être un salaud ou un crétin pour ne pas se sentir révolté.

— Eh ! oh ! on se calme ! lança Zara. James et Kyle, il vous reste moins de dix minutes pour vous préparer.

— On pourrait peut-être rester à la maison, aujourd'hui ? suggéra Kyle. On n'a dormi que quatre heures.

— Moi aussi, je suis complètement crevée, ajouta Lauren.

— Je ne vois pas pourquoi elle sécherait les cours, dit James. Elle n'a pas la gueule de bois, et quand on est au campus, elle discute tous les soirs avec Bethany jusqu'à minuit.

— Va te faire foutre, James !

Zara consulta sa montre d'un air anxieux.

— Bon, il faut que j'y aille, et comme je n'ai pas envie que vous passiez la journée à vous disputer, vous irez en cours tous les trois.

— Eh ! protesta Kyle, indigné. C'est eux qui n'arrêtent pas de se prendre la tête. J'y suis pour rien, moi.

— J'ai dit *tous les trois*. Et si je découvre que vous m'avez désobéi, ça chauffera pour votre matricule.

Sur ces mots, Zara ramassa sur le bar son sac et ses clés de voiture, puis quitta la maison.

— Vous êtes vraiment des boulets ! lança Kyle, hors de lui, avant de gravir quatre à quatre l'escalier menant à la chambre des garçons.

∴

James passa la matinée dans un état proche du coma. Tourmenté par la nausée, il dut supporter le chahut de ses camarades — qui n'avaient rien trouvé de plus amusant que de se jeter des gommes au visage — et les hurlements du prof d'arts plastiques. À l'issue d'un cours d'anglais relativement calme, il consulta son emploi du temps et constata avec horreur que les heures de l'après-midi étaient intégralement consacrées à l'éducation physique.

Bien entendu, il avait oublié son survêtement, ce qui le condamnait à porter l'une des tenues douteuses mises à la disposition des élèves tête en l'air. Il envisagea de demander une dispense en raison de son état de forme, mais il avait fréquenté assez d'établissements scolaires pour savoir qu'il était pratiquement impossible de faire plier un prof de sport, à moins de présenter un certificat médical en bonne et due forme, de souffrir d'une malformation évidente ou d'avoir une hache d'incendie plantée dans le dos.

James prit la décision de sécher les cours. Lorsque la sonnerie annonçant l'heure du déjeuner retentit, il sortit par la porte principale et parcourut à pied les deux kilomètres qui séparaient le collège du village le plus proche.

Cette promenade au grand air le long d'une route de campagne ensoleillée dépourvue de trottoir lui avait creusé l'appétit. Il s'engagea dans la rue principale et se mit en quête d'un magasin où il pourrait trouver de la nourriture végétarienne. Il longea une agence de voyages puis tomba en arrêt devant la vitrine d'une pâtisserie où étaient exposés des bonshommes en pain d'épice et d'énormes gâteaux à la crème. Soudain, il réalisa qu'il était inconnu dans le village et que personne ne pouvait l'empêcher de manger ce que bon lui semblait. Il trouva dans ses poches un billet de cinq livres et quelques pièces de monnaie. À quelques dizaines de mètres, il aperçut l'enseigne d'un restaurant qui servait des hamburgers maison.

C'était un établissement un peu démodé, avec des menus plastifiés et des flacons de ketchup en forme de tomate disposés sur des tables en formica. James commanda un Coca et un double cheeseburger accompagné de frites. Déshydraté par ses excès de la veille, il vida sa boisson en trois gorgées puis mordit à belles dents dans son sandwich.

C'était à ses yeux la meilleure chose qu'il ait jamais goûtée. Tout était parfait, du sang chaud qui coulait dans sa gorge au craquant des oignons finement émincés.

Il s'apprêtait à mordre de nouveau dans le cheeseburger lorsqu'une idée dérangeante lui traversa l'esprit.

À en croire les documents qu'il avait étudiés lors de la préparation de la mission, la viande servant à la fabrication des hamburgers provenait de vaches âgées conduites à l'abattoir à l'issue d'une existence passée dans un minuscule box métallique, gavées d'hormones et d'antibiotiques, constamment inséminées afin de favoriser leur production de lait.

— Tu te régales, mon garçon ? demanda la serveuse.

— Mmmh, super ! répondit James avant de se décider à poursuivre son repas.

En vérité, il était profondément troublé. Il n'envisageait pas une seconde de devenir végétarien, mais des images épouvantables lui revenaient en mémoire. Hanté par les arguments de Tom et de Viv en faveur de la cause libérationniste, il ne parvenait plus à dissocier le plaisir qu'il éprouvait de l'enfer qu'avait vécu l'animal qui lui permettait d'assouvir ses pulsions carnassières.

18. Situation de crise

James, qui craignait de se faire pincer par un prof aux abords du collège, décida de ne pas regagner Corbyn Copse avec le bus scolaire. Constatant que le car de la compagnie locale ne desservait le village qu'une fois par heure, il marcha quelques kilomètres sur le bas-côté de la route avant d'être pris en stop par un couple de vieux militants libérationnistes.

Il rejoignit le cottage aux alentours de dix-huit heures, avec un retard considérable sur son horaire habituel, et découvrit avec soulagement que Zara n'était pas encore rentrée du campus. Lauren pelait des courgettes dans la cuisine en écoutant Ryan lui raconter des anecdotes croustillantes sur les premières actions de l'Alliance Zebra.

— Ah ! James, je t'ai appelé au moins six fois sur ton portable, dit-elle. Miss Hunter a débarqué dans ma classe en plein cours pour me demander si je savais où tu étais.

James estima qu'il était inutile de lui mentir.

— J'avais trop mal au crâne. J'ai séché.

— Oh ! Zara va être folle de joie. Ils vont lui envoyer un avis d'absence, et tu as rendez-vous chez le directeur demain matin.

— Génial, grogna James en se laissant tomber lourdement sur une chaise. Avec un peu de chance, je serai exclu pendant quelques jours.

— Qu'est-ce qui ne va pas avec ton téléphone ?

— C'était un peu la panique, ce matin. Je l'ai oublié dans la poche du jean que je portais hier soir.

— On n'arrive pas à joindre Zara.

— Quoi ? Vous avez du nouveau ?

Ryan prit la parole.

— J'ai reçu un appel d'Anna, l'une de mes dernières fidèles au sein du comité. On se connaît depuis un bail. Ça date d'avant Zebra 84.

— C'est la nana qui tenait le buffet, hier soir, à l'université, précisa Lauren.

James hocha la tête.

— Oui, je vois. Elle est super sympa.

— La plupart des expériences de Malarek sont pratiquées sur des souris, des rats et des lapins, mais ils sacrifient aussi deux cents chiens par mois. Ça fait des années qu'on essaye de déterminer leur provenance. Anna a reçu un tuyau à propos d'un chenil de Trowbridge, à cinquante kilomètres d'ici.

— C'est du solide ? demanda James.

— Elle a envoyé des camarades en reconnaissance. Apparemment, il s'agit d'un élevage de chiens domestiques, mais ils ont confirmé la présence d'un chenil où les chiots destinés aux expérimentations sont placés à l'isolement.

— Pourquoi à l'isolement ?

— Les chercheurs ne veulent pas d'animaux qui ont vécu en liberté. Dans l'herbe, ils attrapent des maladies et des parasites susceptibles de fausser leurs expériences. Ils recherchent des chiens séparés de leur mère à la naissance et élevés dans des cages individuelles.

— Anna a monté une opération pour sauver autant de chiots que possible, expliqua Lauren en jetant les courgettes dans une poêle. Et c'est pour ce soir.

— Baisse le feu, tu vas tout faire cramer ! avertit Ryan. J'ai été invité à participer à l'opération, mais j'ai besoin de l'accord de Zara avant de me lancer dans un truc pareil.

— Pourquoi ?

L'expression de l'homme s'assombrit.

— Zara et moi avons eu une discussion un peu animée, hier soir. Elle m'a clairement fait comprendre que je retournerais directement en prison si je franchissais la ligne jaune.

— C'est quand, la dernière fois que vous l'avez appelée ?

— Là, juste avant que tu arrives, répondit Lauren. J'ai laissé plusieurs messages.

— Tu as essayé de passer par le standard du campus ?

— Oui, mais ils disent qu'on ne peut pas la déranger. J'ai demandé si je pouvais parler à un contrôleur adjoint, mais apparemment, tout le monde est très occupé.

— Dans ce cas, c'est à nous de prendre une décision, dit James. Qu'est-ce que Kyle pense de tout ça ?

— Il n'est pas là. Tom est venu le chercher en MG après les cours. Ils sont allés dîner en ville dans un restau indien. Il a coupé son portable.

— Quel bordel ! De mon point de vue, comme Ryan est censé se rapprocher de l'Alliance, je crois qu'il devrait participer à l'opération.

— C'est exactement ce que je pense, approuva Lauren en prenant trois assiettes dans le placard.

Ryan ouvrit le four et en sortit un rôti de noix.

— Je crois que l'un de nous devrait t'accompagner, dit James. C'est l'occasion rêvée d'entrer en contact avec des activistes.

Ryan et Lauren échangèrent un regard interdit.

— Je ne peux pas me pointer à une opération avec un gamin dans les pattes.

— T'as peut-être raison. Je disais ce qui me passait par la tête.

— C'est pas si bête, fit observer Lauren. Anna est adorable, et elle a quatre filles. Et si on leur racontait que Zara s'est absentée et que je suis trop jeune pour rester seule à la maison ?

Ryan s'accorda quelques secondes de réflexion en découpant le rôti.

— Ça pourrait fonctionner. Tu aimes les chiens, Lauren ?

166

La jeune fille se fendit d'un large sourire.

— *J'adore* les chiens. Je rêvais d'en adopter un quand j'étais petite, mais ils étaient interdits dans la résidence où on vivait.

— Ça n'empêchait pas les chefs de bande du quartier de se balader avec des rottweilers et des pitbulls, ajouta James.

— Vous êtes sûrs que Zara sera d'accord ? demanda Ryan.

— J'en prends la responsabilité. De toute façon, franchement, ça rime à quoi, son attitude ? Un contrôleur de mission ne disparaît pas au beau milieu d'une opération.

— Attends d'en savoir plus avant de porter un jugement, répliqua Lauren. À mon avis, la direction du campus doit être confrontée à une situation de crise, un truc dans le genre.

Ryan composa un numéro sur son portable.

— Anna, j'ai une bonne et une mauvaise nouvelle. La bonne, c'est que je serai avec vous ce soir. La mauvaise, c'est que Zara n'est pas rentrée et que j'ai un problème de garde. Tu verrais un inconvénient à ce que Lauren nous file un coup de main ?

∴

Ryan et Lauren empruntèrent un taxi qui les déposa au pied d'un parking à étages situé au centre de Bristol. Ils s'engagèrent dans une cage d'escalier où régnait une épouvantable odeur d'urine, grimpèrent jusqu'au cinquième étage, puis empruntèrent un couloir de service. Ryan frappa à une porte sur laquelle figurait l'inscription « *Réservé au personnel* ». Un homme noir au crâne hérissé de dreadlocks les fit entrer dans un réduit obscur où étaient entreposés des balais, des seaux, des serpillières et des produits d'entretien.

— Salut, Lou ! lança Ryan.

— Salut. Tu connais les règles : il faut que je vous fouille.

— Bien sûr. C'est moi qui ai établi cette procédure. On ne sait jamais, je pourrais porter un micro.

Ryan se soumit à une palpation minutieuse puis ôta son T-shirt et ses baskets. Enfin, il baissa son pantalon sur ses chevilles. Lorsque Lou eut achevé son inspection, il se tourna vers Lauren.

— Je suis désolé, ma petite, mais je dois t'examiner, dit-il, visiblement embarrassé de demander à une fillette de onze ans de se déshabiller devant lui.

— Pas de problème, sourit Lauren en retirant son T-shirt.

Ryan lui avait recommandé de ne pas emmener son portable. Ses poches ne contenaient qu'un trousseau de clés et quelques pièces de monnaie.

Ces formalités achevées, Lou et Ryan se donnèrent l'accolade.

— Ça fait un bail ! s'exclama l'homme aux dreadlocks. Désolé de ne pas être venu te voir en taule, mais je préférais rester discret.

— T'en fais pas pour ça. À dire vrai, les visites me foutaient le moral à zéro.

Lauren, tout en remettant ses baskets, étudia attentivement le visage de Lou. Elle était convaincue qu'il ne figurait pas parmi les activistes dont elle avait étudié les fiches de police lors de la préparation de la mission.

Le groupe quitta le local d'entretien et se dirigea vers une Vauxhall Astra garée sur le parking. Lou prit le volant. Ryan s'assit à ses côtés. Lauren se glissa sur la banquette arrière.

— Les bagnoles, c'est une vraie galère de nos jours, dit Lou en s'engageant sur la rampe de béton. Les routes sont truffées de radars automatiques capables de déchiffrer les plaques minéralogiques. On ne part jamais en opération dans nos propres voitures. On achète de vieilles caisses au rabais dans des ventes aux enchères et on les équipe de fausses plaques.

— Ça doit vous coûter une fortune, fit observer Ryan.

— Tu m'étonnes. Je sais que tu n'es pas spécialement fan de Madeline Laing, mais sans son soutien financier, on serait complètement coincés. Le jour où la police se dotera d'une technologie de surveillance encore plus sophistiquée, je ne sais pas si on pourra continuer.

— On vit dans un véritable État policier.

— Tu l'as dit, confirma Lou tandis que la voiture quittait le parking.

— Alors, Anna et toi, vous êtes toujours en première ligne ?

— Ouais. En gros, c'est nous et quelques vieux de la vieille qui tenons la boutique. En théorie, on fait partie de l'Alliance, mais on se tient à l'écart de Malarek. Notre truc, c'est les opérations spéciales. À part les filles d'Anne, tu connais tous les gens qui bossent avec nous.

— Tu sais que je suis censé être leur parrain ? Je suis tellement fauché que je n'ai même pas pu leur envoyer un cadeau pour leur dix-huitième anniversaire.

— Ah bon ? Pourtant, il paraît que tu vis dans une chouette baraque à Corbyn Copse.

— C'est Zara qui paye tout. Son ex-mari bossait dans l'industrie pétrolière. Elle a touché le gros lot au moment du divorce.

— C'est marrant, mais je ne te voyais pas t'installer dans une maison, avec femme et enfants.

— À vrai dire, moi non plus.

Lauren observa le visage de Ryan dans le rétroviseur de gauche.

À l'évidence, mentir à son ami était une épreuve douloureuse.

19. Deux aventurières

Au crépuscule, la voiture s'immobilisa sur une aire de stationnement située à la jonction de deux routes nationales. Lauren descendit de la voiture.

— Je t'aurais bien déposée, mais on est horriblement en retard, dit Lou. Marche tout droit sur environ un kilomètre jusqu'à une maison moderne en briques rouges, avec des fenêtres en PVC. Il y a une écurie dans l'arrière-cour. Ils t'attendent.

— Vous viendrez me chercher à quelle heure ?

— Entre minuit et une heure du matin, en fonction du déroulement de l'opération.

— Ou jamais, si on se fait arrêter, ajouta Ryan.

— Bonne chance, les gars ! lança Lauren avant de se pencher pour embrasser ce dernier sur la joue. J'espère que tout se passera comme prévu.

— Merci, bredouilla l'homme, visiblement embarrassé par cette démonstration d'affection inattendue.

Le véhicule s'étant remis en route, Lauren progressa d'un pas énergique sur le bas-côté. Elle espérait que

Lou, Ryan et Anna parviendraient à délivrer les chiens. Elle regrettait de ne pouvoir participer en personne à l'opération et mettre son expérience d'agent secret au service d'une cause qui lui tenait à cœur.

Une dizaine de minutes plus tard, elle atteignit la ferme décrite par Lou.

— Lauren ? demanda une fille d'une vingtaine d'années, chaussée de bottes en caoutchouc, qui traversait péniblement la cour en traînant deux énormes bidons de désinfectant.

— Je parie que tu es l'une des filles d'Anna. Tu es son portrait tout craché.

— Bien vu. Je m'appelle Miranda. Ma sœur Adélaïde est en train de coucher les petites.

— Les petites ?

— Nos demi-sœurs, Polly et Cat. Elles ont trois et cinq ans.

— Vous vivez ici ? demanda Lauren.

— Non. Cette ferme appartient à un sympathisant de l'Alliance. Cet endroit est parfait pour l'opération de ce soir. Viens, je vais te faire visiter l'écurie. J'ai presque fini la mise en place.

— Tu veux que je t'aide à porter un bidon ?

— Je vais m'en sortir, dit Miranda en titubant jusqu'à l'arrière-cour.

L'écurie était équipée de dix boxes inoccupés d'une propreté immaculée, où avaient été installées des tables à tréteaux sur lesquelles étaient alignées des cuvettes en plastique.

— Ça va servir à quoi, tout ça ? demanda Lauren.

— Les militants qui ont repéré l'élevage n'ont pas pu examiner les cellules d'isolement, mais nous avons de bonnes raisons de penser que les chiots vivent dans des conditions d'hygiène déplorables. Comme ils sont séparés de leurs frères et sœurs et privés de jouets, ils passent leur temps à jouer avec leurs excréments.

— C'est immonde, souffla Lauren.

— Nos informateurs affirment que les cages sont passées au jet d'eau deux fois par semaine, mais les chiens ne sont nettoyés que quelques heures avant leur départ pour le laboratoire.

— Comment peut-on traiter des petits chiens de cette façon ?

— Tu pourras nous filer un coup de main, si ça te dit. Seulement, je te préviens, j'ai participé à plusieurs opérations semblables par le passé, et je te garantis qu'il vaut mieux avoir l'estomac bien accroché.

— Je ferai tout ce que tu me demanderas. Qu'est-ce que vous allez faire de tous ces chiots ensuite ?

— On ne peut pas les garder ici. Ils seront mis en sécurité dans un refuge clandestin avant d'être placés chez des sympathisants.

•:•

La préparation des boxes achevée, Lauren et Miranda regagnèrent la maison. Adélaïde, qui était parvenue à endormir ses petites sœurs, les rejoignit dans le salon. Elles s'installèrent toutes les trois sur le canapé, les pieds posés sur la table basse, pour se partager des tortillas trempées dans de la sauce mexicaine.

La télé était allumée, mais Lauren n'y prêtait pas attention. Elle écoutait avec un vif intérêt les deux sœurs parler de leur enfance. Leur père avait quitté le domicile familial dès leur plus jeune âge. L'activisme d'Anna ne lui ayant jamais permis de gagner correctement sa vie, elles avaient toujours vécu grâce à des dons et des aides de l'État. Elles avaient même été placées pendant dix-huit mois en famille d'accueil pendant qu'Anna purgeait une peine de prison.

Pourtant, elles ne semblaient pas avoir souffert de ces privations. Elles adoraient leur mère et se réjouissaient d'avoir pu, grâce à elle, mener une existence aventureuse. À l'âge de dix ans, elles s'étaient enfuies dans les bois au beau milieu de la nuit afin de soustraire plusieurs cages remplies de lapins à une perquisition policière. Six ans plus tard, elles avaient fui la Roumanie, cachées dans le coffre d'une voiture, après avoir participé à une manifestation contre les combats d'animaux clandestins. Elles avaient passé trois mois dans un centre de rétention pour jeunes délinquants pour avoir tenté d'incendier un abattoir industriel.

Lauren, qui ne se laissait pas facilement impressionner, éprouvait une véritable fascination pour ces deux jeunes filles intelligentes et désinvoltes. Hélas, la nuit précédente avait été courte et, malgré le vif plaisir que lui procurait le récit de leurs tribulations, ses paupières se mirent à papillonner furieusement. Après quelques minutes de lutte vaine, elle sombra dans un profond sommeil.

∴

Lorsqu'elle se réveilla, elle constata qu'Adélaïde et Miranda l'avaient laissée seule dans la pièce. La télé était éteinte. Elle entendit des voix lointaines à l'intérieur de la maison.

Ayant perdu toute notion du temps, elle redoutait d'avoir tout manqué de l'opération. Elle enfila ses baskets puis se traîna jusqu'à la cuisine.

— Ah ! tu es réveillée, se réjouit Miranda.

— Tu as repris des forces ? demanda Adélaïde.

Quatre inconnus se trouvaient à leurs côtés.

— Je te présente Phyllis et Ken, dit-elle en désignant un couple de quadragénaires. Lui, c'est Jay, mon copain, et voici le Doc.

Ce dernier avait depuis longtemps atteint l'âge de la retraite. Lauren remarqua une sacoche de cuir posée à ses pieds et devina qu'il s'agissait du vétérinaire venu superviser la désinfection des chiots.

— J'ai raté quelque chose ? demanda-t-elle.

— Non, ne t'inquiète pas, répondit Miranda. Lou a appelé il y a une demi-heure. Les mesures de sécurité étaient réduites au minimum. Ils sont entrés et sortis du chenil comme s'ils étaient chez eux. Ils devraient être là d'ici dix à quinze minutes. Le hic, c'est qu'on avait prévu de nettoyer une trentaine de chiots et qu'ils nous ramènent soixante-treize bébés beagles.

— C'est une chance que tu sois venue, ajouta Adélaïde. Il va falloir nettoyer tous les animaux et les emmener au refuge avant le lever du jour. On va vraiment avoir besoin de ton aide.

— J'ai appelé la femme et la sœur de Lou en renfort, mais elles ne seront pas là avant une heure.

20. Le grand nettoyage

La Vauxhall Astra s'engouffra dans la cour de la ferme quelques dizaines de minutes plus tard, suivie de près par un camion de sept tonnes. Il faisait nuit noire. Lou laissa les phares allumés afin de permettre aux volontaires d'accomplir leur travail.

Équipés de masques et d'épais gants de caoutchouc, ils se rassemblèrent à l'arrière du poids lourd. Anna tourna la poignée puis écarta les deux battants métalliques. Aussitôt, une bouffée d'air tiède et fétide s'échappa. C'était pire que tout ce que Lauren avait pu imaginer.

Elle tituba en arrière, arracha son masque et vomit au pied d'un muret. Phyllis l'imita. Le vétérinaire, pourtant accoutumé au contact des animaux malades, hoqueta de dégoût.

— Tu crois que tu vas tenir le coup ? demanda Miranda en frottant doucement le dos de Lauren. Tu veux que je t'apporte un peu d'eau ?

— Occupe-toi des chiens, haleta cette dernière

avant de se diriger d'un pas hésitant vers la maison. Je reviens dans deux minutes.

Elle se traîna jusqu'à la cuisine et se rinça la bouche sous le robinet. Elle se sentait nauséeuse, mais restait déterminée à venir en aide aux militants.

Les boîtes en carton dans lesquelles les chiots, faute de place, avaient pour la plupart été casés deux par deux, étaient alignées sur le plancher métallique du camion. Bravant les effluves répugnants, Lauren s'empara de deux boîtes et courut jusqu'à l'écurie. Dans l'une, deux animaux grattaient désespérément les parois de leur prison de carton. Dans l'autre, un petit beagle solitaire poussait des hurlements déchirants.

Chaque box disposait d'un robinet d'eau froide, mais un seul tuyau en caoutchouc courant depuis la cuisine alimentait l'écurie en eau chaude. Adélaïde, qui craignait que les réserves de la citerne ne soient rapidement épuisées, avait recommandé à chacun de l'utiliser avec parcimonie.

Lauren pénétra dans un box inoccupé, posa les deux boîtes sur le sol de ciment puis actionna un interrupteur afin d'éclairer la table sur laquelle avaient été posées trois cuvettes. Un concert de grognements résonna à ses pieds. Elle se pencha pour jeter un œil entre les trous d'aération et constata qu'une bagarre avait éclaté entre les deux chiots contraints à la cohabitation.

Elle n'avait pas l'habitude de s'occuper des animaux. Elle retint sa respiration, ouvrit la boîte puis en tira un chiot minuscule, pas plus gros qu'un cochon d'Inde, qui se tortillait comme un ver et essayait vainement de mordre le gant de caoutchouc qui le retenait prisonnier.

Lauren prit conscience de l'état lamentable dans lequel se trouvait l'animal. Ses yeux étaient brillants, mais sa robe était souillée d'excréments séchés.

— Pauvre petit bonhomme, hoqueta-t-elle, au bord des larmes.

Le chiot terrorisé lâcha un jet d'urine tiède sur son bras. Elle le posa dans une cuvette vide. Phyllis entra dans le box, le tuyau d'eau chaude à la main.

— Tu en as besoin ?

— Plutôt, oui, sourit Lauren.

À l'évidence, Phyllis semblait ne s'être toujours pas habituée à l'odeur épouvantable dégagée par les animaux. Le teint verdâtre, elle remplit deux cuvettes en se tenant aussi loin que possible de la table.

Lauren saisit le tuyau d'eau froide et tourna le robinet. Lorsque le liquide atteignit ses pattes, le chiot poussa un couinement désespéré avant de se dresser et de poser ses pattes avant sur le rebord du récipient. Elle le maintint fermement au centre de la cuvette, l'aspergea généreusement puis commença à lui frotter le poil.

— Je sais que ce n'est pas agréable, dit-elle d'une voix apaisante. Tu te sentiras mieux quand ce sera fini. Ensuite, on te trouvera une chouette maison.

— Tu t'es déjà mise au travail ? lança Ryan en pénétrant dans le box. Je prends le relais. Occupe-toi de la cuvette de désinfectant, s'il te plaît.

Lauren hocha la tête et lui tendit le tuyau. Fort des

nombreuses opérations de libération auxquelles il avait participé, sa technique de nettoyage était parfaitement rodée.

— Il faut toujours commencer par la tête et repousser la saleté vers l'arrière du corps, comme ça, expliqua-t-il en joignant le geste à la parole. Ça permet d'éviter de lui mettre du savon dans les yeux et dans la gueule.

Ryan massa énergiquement le beagle puis coupa quelques touffes de poil irrécupérables. Lauren versa un mélange de shampooing et de désinfectant dans la deuxième cuvette.

— Les chiots ne peuvent pas s'empêcher de boire l'eau de leur bain, poursuivit Ryan. Le hic, c'est qu'ils ont la fâcheuse manie d'uriner dès qu'ils sentent le goût du savon sur leur langue. Prépare-toi à te faire asperger.

Lauren posa le chien tremblant dans l'eau chaude et savonneuse. Elle l'arrosa puis frotta ses flancs pour faire mousser le mélange. Après une minute de lutte vaine et de jappements hystériques, il sembla se résigner à être manipulé par de parfaits inconnus.

Lauren lui administra quelques giclées de déodorant et de lotion anti-puces, puis le sécha vigoureusement dans une serviette-éponge.

— Et voilà, un beau petit chien tout neuf ! dit-elle en regardant avec émerveillement la petite boule pelotonnée entre ses bras.

— Excellent travail. Porte-le au vétérinaire dans le box numéro deux, et retrouve-moi ici.

— Allez, viens, mon petit chéri, sourit Lauren. Le vilain monsieur va sans doute te planter une aiguille dans les fesses, mais après ça, tu pourras courir dans l'enclos. Tu auras de l'eau fraîche et une bonne gamelle de pâtée végétarienne. Il y aura plein d'autres beagles. Si ça se trouve, tu te feras des copains.

...

Une heure et demie plus tard, Lauren confia son onzième chiot au vétérinaire. L'homme semblait un peu dépassé par les animaux qui affluaient des quatre postes de désinfection aménagés dans l'écurie.

Dans la galerie desservant les boxes, elle croisa Miranda.

— Tu as l'air complètement crevée, dit celle-ci. Phyllis a préparé des boissons chaudes. Pourquoi tu ne prends pas dix minutes de pause ?

— Et Ryan ?

— Je vais lui donner un coup de main. On se retrouve à la maison.

Ce n'est qu'en entrant dans la cuisine que Lauren prit conscience de l'état de saleté repoussant dans lequel elle s'était mise. Son jean et son T-shirt étaient maculés de taches brunes et de traînées jaunes laissées par les diverses déjections canines dont elle avait été la cible. Elle avait fini par s'habituer à la puanteur ambiante, mais elle ne s'était jamais sentie aussi répugnante depuis son retour du stage de cinq jours en milieu naturel organisé dans le cadre du programme d'entraînement initial de CHERUB.

Le sol de la cuisine était inondé d'eau boueuse.

— Assieds-toi, dit Phyllis. Ne t'inquiète pas pour l'état du carrelage. Je nettoierai tout ça à l'eau de Javel une fois que tous les chiens auront été traités. Qu'est-ce qui te ferait plaisir ? Thé, café, chocolat chaud au lait de soja ?

— Chocolat, répondit Lauren en ôtant son masque.

Elle se laissa tomber sur une chaise et regarda son mug tourner dans le micro-ondes. Elle retira ses gants. Ses mains étaient livides et ridées. À l'autre bout de la table, Adélaïde pianotait sur le clavier d'un ordinateur portable équipé d'un écran surdimensionné. Deux caméras vidéo et une molette *jog dial* étaient connectées aux ports USB de l'appareil.

— Ça te dirait de te voir en pleine action ? demanda-t-elle.

Lauren se leva, contourna la table et observa la mosaïque de flux vidéo, de grilles chronologiques et de courbes audio affichées à l'écran.

— Qu'est-ce que c'est ? demanda-t-elle.

— Adobe Première, un logiciel de montage vidéo, expliqua Adélaïde. On a déjà envoyé un message accompagné de photos prises à l'intérieur du chenil à la *BBC* et aux autres grands médias. Là, je prépare un reportage de dix minutes qui pourra être téléchargé sur le site Internet de l'Alliance Zebra.

Une séquence vidéo tournée à l'intérieur des écuries

apparut à l'écran : Lauren, vue de dos, frottait frénétiquement un chiot, le déposait dans la cuvette de désinfectant puis procédait au rinçage final.

— Cool ! s'exclama-t-elle. Je n'avais même pas remarqué que tu me filmais.

Miranda lui adressa un large sourire.

— Tu étais tellement dans ton truc… Et puis je ne voulais pas te perturber, parce que cette image d'une jeune fille sauvant un chien est absolument *parfaite*.

— Ryan est en liberté conditionnelle, tu sais. Si quelqu'un le reconnaît…

— Aucune chance. Dès qu'un visage apparaît à l'écran, je le pixelise. Une fois le montage terminé, je détruis les cassettes DV et je nettoie les disques durs. En plus, l'Alliance a un avocat spécialisé dans les médias qui étudie attentivement toutes nos vidéos et nos photographies. Les documents sont mis en ligne depuis un café Internet ouvert vingt-quatre heures sur vingt-quatre, ce qui nous garantit l'anonymat.

— Alors, quand est-ce que je pourrai me voir sur le site de l'Alliance ?

— Dans moins de trois heures, si tout se passe bien. On a des images du chenil absolument terribles. Lou a filmé deux chiots morts d'infections causées par des blessures.

— Les pauvres, soupira Lauren.

— C'est une honte que des animaux soient traités de cette façon. Mais il faut voir le bon côté des choses : ces photos et ces films nous permettront de prévenir la RSPCA[2] et les autorités locales dès l'ouverture de leur permanence. Ce chenil sera fermé sur décision judiciaire.

— Excellent. Et je parie que les autres élevages y réfléchiront à deux fois avant de fournir des animaux à Malarek.

— S'ils continuent, ils ont intérêt à ce qu'on ne soit pas au courant.

Lauren termina son mug de chocolat et le posa sur la table.

— Il faut que je retourne à l'écurie pour que Ryan puisse prendre sa pause. Il doit rester une douzaine de chiots à nettoyer.

En ouvrant la porte donnant sur la cour, Lauren eut la surprise de voir le soleil se lever derrière les arbres. Elle jeta un œil à la pendule de la cuisine : il était cinq heures moins le quart du matin.

---

2. *Royal Society for the Prevention of Cruelty to Animals* : Société royale de prévention de la cruauté envers les animaux.

21. Boulette

— On se réveille, murmura Ryan en caressant du bout des doigts la joue de Lauren.

Il était torse nu. Lou lui avait prêté un pantalon trop large qui flottait autour de ses jambes osseuses.

Lauren ouvrit les yeux et constata qu'elle était allongée sur le canapé du salon, enroulée dans un sac de couchage *Bob l'éponge*. La lumière du jour filtrait entre les rideaux.

— Anna est en train de préparer le déjeuner, dit Ryan.

— Le *déjeuner* ! Mais il est quelle heure ?

— Une heure moins dix.

— La vache ! Est-ce que Zara sait que je suis là ?

— Oui, je l'ai eue au téléphone. Ça va, rassure-toi, elle soutient totalement notre initiative d'hier soir. Elle va venir nous chercher.

Lauren fit glisser la fermeture Éclair du sac de couchage et s'assit. Les événements de la nuit lui revinrent peu à peu en mémoire. Le dernier chien désinfecté, les activistes avaient regagné la maison pour se laver. Elle avait pris une douche froide puis avait passé un bermuda et un T-shirt empruntés à Miranda.

En traînant des pieds jusqu'à la cuisine, elle ressentit de violentes courbatures aux épaules et aux jambes.

— Salut, dit gaiement Anna en lui servant un verre de jus d'orange. Qu'est-ce que tu dirais d'un peu de pain perdu vegan ?

— C'est gentil, je crève de faim, sourit Lauren.

Elle remonta son short trop grand puis prit place à la table. La pièce était d'une propreté immaculée. Il ne restait plus une trace du matériel utilisé la veille.

— Les chiens sont déjà en route ?

— Lou en a pris un. Adélaïde et Miranda sont parties avec les autres.

Lauren était déçue de n'avoir pu dire adieu aux petits rescapés. Elle aurait aimé constater de ses propres yeux le résultat de ses efforts, les voir jouer et galoper joyeusement dans leur enclos.

Anna posa devant elle une assiette contenant du pain perdu saupoudré de sucre glace, accompagné de fraises et de fines tranches de melon. C'était exactement ce que son corps réclamait après la nuit épuisante qu'elle venait de passer.

La femme éteignit le four et rinça la poêle sous le robinet de l'évier.

— Bon, il faut que je vous laisse, dit-elle. Cat et Polly sortent de l'école à trois heures. Ryan, tu pourras laver l'assiette de Lauren et tout fermer ? Tu remettras les clés à Phyllis. Elle campe devant le labo tous les week-ends.

— Pas de problème. Ne te mets pas en retard. Zara sera là dans une demi-heure.

Lauren acheva son repas, salua Anna depuis le seuil de la maison, puis sortit prendre l'air. Elle visita une dernière fois l'écurie et sentit sa gorge se serrer à la pensée des petits chiens sauvés au cours de la nuit.

Elle était fière d'avoir participé à l'opération. Elle avait travaillé dur, en compagnie de gens estimables, au service d'une cause juste. Certes, dérober des chiens constituait un délit au regard de la loi, et les expérimentations animales étaient à l'origine d'avancées médicales fondamentales, mais rien ne justifiait que des chiots soient contraints de vivre dans leurs propres excréments.

Tandis qu'elle se dirigeait vers la maison, Lauren entendit un son aigu. Elle se tint immobile quelques secondes puis reprit sa route, convaincue qu'il s'agissait du grincement d'un volet chahuté par le vent. Alors, un nouveau couinement se fit entendre. C'était la plainte d'un chiot provenant de l'intérieur de l'écurie.

Elle revint sur ses pas, entrouvrit la porte du bâtiment, puis enfonça l'interrupteur commandant le plafonnier. Un petit beagle tremblant était pelotonné dans un coin, à l'extrémité de la galerie.

— Mais qu'est-ce que tu fais là, petit bonhomme ? gloussa Lauren. On t'a abandonné ?

Le chiot, qui n'avait eu affaire au cours de sa brève existence qu'à des employés du chenil, des vétérinaires et des libérationnistes qui semblaient prendre un malin plaisir à lui plonger la tête dans des cuvettes de liquide nauséabond, montra les crocs.

— Je ne vais pas te faire de mal, dit-elle en approchant à petits pas prudents de l'animal.

Lorsqu'elle se pencha pour le prendre dans ses bras, son short démesuré glissa jusqu'à ses chevilles. Le chiot courut vers la porte de l'écurie restée ouverte et détala dans l'arrière-cour. Lauren se rhabilla à la hâte puis se lança à sa poursuite.

— Ryan ! hurla-t-elle. Viens m'aider !

Le beagle s'engagea sur le sentier menant à l'enclos qui avait accueilli les chiens après leur passage au poste de désinfection.

Lauren craignait que l'animal ne disparaisse dans les sous-bois environnants. Par chance, le petit chien, qui ne connaissait du monde que sa cage exiguë, éprouvait des difficultés à coordonner les mouvements de ses pattes. Il finit par trébucher, basculer queue par-dessus tête et rouler dans l'herbe haute.

Lauren se précipita, une main sur l'élastique de son short, l'autre tendue vers la petite boule de poils. Le chiot se redressa d'un bond, jeta un regard effaré aux alentours, puis reprit sa course en direction de la maison. Ryan se planta sur sa trajectoire, les genoux fléchis, les bras largement écartés. Il le saisit par la peau du cou, mais le chien se tortilla frénétiquement et parvint à filer entre ses jambes.

— Et merde ! lâcha-t-il.

Lauren, lancée à toute allure, évita d'un cheveu la

collision et poursuivit sa course. Elle gagnait rapidement du terrain, et le beagle montrait des signes évidents d'épuisement. Alors, il effectua un virage à angle droit et se rua vers l'allée de graviers menant à la route, au moment précis où le monospace de l'équipe s'y engageait.

Le temps se figea. Lauren, épouvantée, vit le pare-chocs se rapprocher à vive allure. Elle aperçut le visage stupéfait de Zara derrière le pare-brise. Emportée par son élan, elle ne pouvait plus modifier sa trajectoire. Elle leva les bras devant son visage pour amortir le choc.

Par chance, Zara, qui avait déjà un pied sur la pédale de frein, pila net. Le coude de Lauren heurta violemment le pare-chocs. Une vive douleur irradia jusqu'à l'extrémité de ses doigts.

Lauren, qui en avait vu d'autres, restait déterminée à capturer le chiot. Elle s'accroupit entre les roues avant du monospace.

— Où est-ce qu'il est passé ? cria-t-elle.

Zara descendit de la voiture.

— Qu'est-ce qui t'a pris de te jeter sous mes roues ?

— Je courais après un chiot.

— Nom de Dieu, il est sur la route ! hurla Ryan.

Zara et Lauren firent volte-face et aperçurent le beagle figé au milieu de la chaussée. À bout de souffle et désorienté, il haletait et tournait la tête en tous sens. Une Nissan le frôla à plus de quatre-vingts kilomètres heure.

— Oh ! non, gémit Lauren en se couvrant les yeux, certaine que plus rien ne pouvait sauver le petit chien.

Les turbulences provoquées par le passage du véhicule avaient projeté l'animal à trois mètres de sa position initiale. Au mépris du danger, Ryan traversa la route d'un pas décidé et le prit dans ses bras.

Emporté par son élan, il se retrouva sur la bande de circulation opposée. Un coup d'avertisseur lui vrilla les tympans. Il leva les yeux et vit un gigantesque camion-benne filer dans sa direction. Le chauffeur fit une embardée. Ryan bondit sur le bas-côté, dévala une pente et s'affala de tout son long dans un taillis.

Lauren et Zara laissèrent passer deux voitures avant de le rejoindre. Lauren constata avec soulagement que Ryan était parvenu à garder le chiot serré contre sa poitrine.

— Tu es blessé ? demanda-t-elle.

— Je survivrai, souffla Ryan, mais j'ai pris dix ans d'un coup.

Zara claqua la paume de sa main contre la sienne.

— Eh… lança Lauren. Mais je le reconnais ce chien : son museau brun, son œil un peu plus bas que l'autre… C'est le premier dont je me suis occupé la nuit dernière.

Ryan, le sourire aux lèvres, regarda le beagle droit dans les yeux.

— Il a besoin d'une bonne gamelle d'eau fraîche. Il est chaud comme une bouillotte.

— Qu'est-ce qu'on va faire de lui ? interrogea Lauren.

— On ne peut pas l'abandonner ici, répondit Ryan. Il faut le ramener au cottage.

— Je pourrai le prendre dans ma chambre ? demanda Lauren. J'ai toujours rêvé d'avoir un chien. Ça doit être un signe du destin.

— Nous ne le garderons que quelques jours, le temps de lui trouver une famille d'accueil, dit Zara avec fermeté. Seuls les T-shirts rouges ont le droit de posséder un animal domestique, alors je te conseille de ne pas trop t'attacher.

— En plus, ajouta Ryan, si les flics apprennent que j'héberge un chiot beagle, ils feront le rapprochement avec l'opération de cette nuit.

— Boulette, sourit Lauren, sourde à ces avertissements. Je vais l'appeler Boulette.

22. Une chaussette rouge et vert

TROIS SEMAINES PLUS TARD

En cette chaude fin d'après-midi de juillet, James avait remonté les manches de sa chemise. Il portait sa veste d'uniforme sur l'épaule. La sueur perlait à son front.

— Je suis là ! cria-t-il en poussant la porte de la maison.

Zara lança quelques mots inintelligibles depuis la cuisine.

Lorsqu'il pénétra dans le salon, Boulette, la queue frétillante, trottina jusqu'à lui. Il avait pratiquement doublé de volume depuis son arrivée au cottage. Dès ce jour, il n'avait plus été question de lui trouver une famille d'accueil. En dépit des soupçons que sa présence risquait d'éveiller, personne n'avait eu le cœur de s'en séparer.

— Salut, petit bonhomme, dit James en s'accroupissant pour lui caresser le dos. Dis donc, tu dois avoir drôlement chaud. T'inquiète, tu pourras bientôt sortir, maintenant que tes vaccins sont en règle. La semaine prochaine, on ira se promener.

Boulette roula sur le dos et le laissa lui gratter le ventre.

— Hou ! mais qu'il est mignon, ce petit chien-là. Où sont tes jouets ?

Il s'empara d'une balle en caoutchouc rose qui avait roulé sous un fauteuil et la lança en cloche à l'autre bout de la pièce. Boulette courut comme un dératé, disparut derrière le canapé avant de réapparaître, tenant fièrement la balle dans sa gueule.

— Bravo ! Allez, rapporte, maintenant !

L'animal, qui n'avait aucune intention de lâcher sa proie, poussa un grognement. James le saisit par la peau du cou et lui arracha la balle d'autorité.

— Voilà, bon chien ! dit-il en se baissant pour lui caresser le dos.

Boulette lui lécha la joue. James craquait littéralement pour cette boule de poils au regard désarmant. Il le prit dans ses bras et l'embrassa au sommet du crâne.

— Qui c'est le chien le plus mignon du monde ?

— Quand il est célibataire, ce malade s'en prend aux animaux ! lança sa sœur dans son dos.

James fit volte-face. Lauren et Stuart Pierce, l'air moqueur, se tenaient dans l'encadrement de la porte.

— Salut, Stuart, dit James. Apparemment, vous n'avez pas ce genre de problème, vous deux.

— On fait juste nos devoirs ensemble, protesta Lauren.

— Mais oui, je vous crois, les amoureux...

Boulette, qui avait passé la journée à dormir sur le canapé de la pièce surchauffée, courut avec excitation de l'un à l'autre en remuant frénétiquement la queue, puis posa ses pattes avant sur la jupe de Lauren.

— James, ça te dérange si je l'emmène dans ma chambre ? demanda-t-elle.

— Non, fais comme tu veux. Il faut que je monte prendre une douche. Je dégouline de sueur.

— Allez, viens, le chien ! lança-t-elle en poussant la porte de sa chambre.

Boulette se rua dans la pièce et bondit sur le lit. Elle prit sa tête entre ses mains.

— Tu sais que tu ne devrais pas lécher le visage de James ? dit-elle. Tu risques d'attraper des maladies.

— Eh ! j'ai tout entendu, protesta le garçon. Au fait, Stuart, je te conseille de garder tes mains dans tes poches, si tu vois ce que je veux dire. Si ma petite sœur tombe enceinte, tu peux dire adieu à tes dents.

Lauren passa la tête dans le couloir et lui adressa un doigt d'honneur.

— Mais c'est que tu deviens de plus en plus drôle, James Wilson !

∴

Au sortir de la salle de bains, James regagna la chambre, une serviette nouée autour de la taille. Kyle, étendu en caleçon sur la couchette supérieure, lisait un exemplaire de *Catch 22*.

— Enfin le week-end, soupira James en s'asseyant sur son lit. Ça marche, tes révisions ?

Il fouilla parmi les vêtements éparpillés sur le sol et dénicha un caleçon d'une propreté acceptable.

— Pas mal, répondit Kyle. Je me suis levé à dix heures et j'ai pris un bain de soleil dans le jardin jusqu'à midi. Ensuite, Tom est passé me voir.

— Il ne va pas au lycée non plus ? J'ai vraiment hâte d'être en terminale.

— Il a fini ses examens. Il est déjà inscrit à l'université.

— J'en peux plus de suivre des cours *à la con* dans des bahuts *à la con* où je n'apprends *strictement rien*. Il fait super beau, et j'ai autre chose à foutre que de passer des plombes assis dans une salle alors que j'ai déjà largement le niveau bac en maths. Les élèves de ma classe sont des débiles profonds.

Kyle éclata de rire.

— Il n'y a pas que des génies sur Terre, James. Moi, j'ai eu beau bosser comme un dingue, je n'ai jamais obtenu que des C en maths.

— Alors, qu'est-ce que tu as appris en discutant avec Tom ?

— Rien de neuf. Sophie et Viv essayent toujours d'intégrer un groupe plus radical, mais les membres de ces organisations se méfient des tentatives d'infiltration.

— J'ai l'impression qu'on n'en finira jamais avec cette mission. Normalement, Kerry, Lauren et moi, on doit aller ensemble à la résidence d'été pour la première fois. Si ça continue comme ça, je vais être obligé de passer mes vacances dans ce trou à rats.

— Oh ! mais tu es décidément d'excellente humeur, aujourd'hui. Ça m'est déjà arrivé d'être privé de vacances, il y a quelques années, à cause d'une mission entièrement basée sur un tuyau bidon refilé par un dealer d'héroïne. Tu as eu de la chance jusqu'ici, James. Toutes tes missions ont abouti. Tôt ou tard, tu tomberas sur une opération foireuse. C'est inévitable.

— Tu penses qu'on va droit dans le mur, en ce moment ?

— Non, je reste optimiste. Seulement, je pense que la MLA ne doit pas compter plus d'une douzaine de membres. C'est ce qui rend les choses si difficiles. Mais on a assuré avec Tom et Viv. On a établi le contact en un temps record.

— Ouais, t'as raison au fond, dit James.

Les paroles de son coéquipier lui avaient mis du baume au cœur. Après tout, il ne lui restait plus qu'une semaine de cours à endurer, et toute l'équipe pourrait alors se consacrer pleinement à la mission.

Il s'allongea sur son lit et sentit aussitôt une boule dans son dos. Il passa une main sous la couette et en extirpa une chaussette de rugby rouge et vert. Elle ne lui appartenait pas, et Kyle aurait préféré mourir que de porter quelque chose d'aussi voyant.

James bondit de son lit.

— Qu'est-ce que la chaussette de ton copain fout dans mon pieu ?

— Ah, tu l'as retrouvée... répondit Kyle sur un ton parfaitement neutre. On l'a cherchée partout.

— Ne me dis pas que vous avez utilisé mon matelas pour faire... tu sais... des trucs *gay* ?

— Et où tu voulais qu'on s'assoie, dans ce placard ?

— Vous pouviez aller sur *ton* lit, dit James, au comble de l'indignation.

Kyle tendit le bras et posa la main au plafond.

— Ça doit faire… cinquante centimètres, à tout casser. En plus, Tom est plutôt balèze. Le lit se serait écroulé si on était montés tous les deux ici.

— Mais qu'est-ce que vous avez fait *exactement* dans mon plumard ?

— On est sortis ensemble, rien de plus.

— Et pourquoi vous avez retiré vos vêtements ?

— Pas *tous* nos vêtements. Il fait au moins trente degrés. Tu voulais quoi ? Qu'on mette des anoraks ?

— Écoute, Tom et toi, vous avez tous les deux plus de seize ans. Tu sais que je n'ai rien contre le fait que tu sois gay. Vous avez droit de faire ce que vous voulez, mais pas sur mon lit, compris ?

Kyle sauta de sa couchette et se planta devant James.

— Tu es complètement homophobe ! rugit-il.

— Non ! Ça fait longtemps que je sais que tu préfères les mecs, et ça n'a jamais rien changé entre nous.

— Ne me prends pas pour un con ! Tu n'as jamais pu avaler le fait que j'étais gay, et je préférerais que tu me le dises en face. Tu n'es qu'un hypocrite qui se bouche le nez dès que j'ai le dos tourné.

— Ah, c'est comme ça que tu me vois ? s'étrangla James. J'essaye juste de te faire comprendre que je ne veux pas que vous vous rouliez à poil sur mon lit. Ça te paraît vraiment inacceptable ?

— *Batman begins*, lâcha Kyle en posant un doigt sur le torse de son coéquipier. On a regardé le DVD dans ta chambre. Tout le monde était assis sur ton lit. Moi, je me suis installé sur la moquette. Tu roulais des pelles à Kerry. Gabrielle sortait avec Daniel Satter. Callum avait chopé je ne sais plus qui. Ça ne t'a pas traumatisé, que je sache, même quand Gabrielle et Daniel ont failli passer aux choses sérieuses.

— Eh bien… bredouilla James.

— C'est vraiment deux poids, deux mesures. Si je m'étais roulé avec une fille sur ton pieu, ça ne t'aurait pas dérangé une seconde. Essaye de me dire le contraire.

Les arguments de Kyle étaient irréfutables, mais James n'avait aucune intention de reconnaître ses torts.

— Je te demande juste de ne pas faire des galipettes sur mon lit.

— Va te faire foutre ! gronda Kyle avant de se ruer vers la porte. Avec des amis comme toi, on n'a vraiment pas besoin d'ennemis.

À cet instant, Zara fit irruption dans la chambre. Malgré la colère qu'elle éprouvait, elle s'exprima avec le plus grand calme.

— J'ignore quel est le motif de cette dispute, mais je vous entends parler du campus depuis la cuisine. Au cas où vous ne l'auriez pas remarqué, nous avons un invité. Heureusement que Lauren a eu la présence d'esprit de monter le volume de sa chaîne.

James et Kyle restèrent bouche bée. Emportés par

leur différend, ils avaient oublié que Stuart se trouvait dans la maison.

— Bon, je sors faire un tour, lâcha Kyle.

Il s'empara d'un T-shirt et d'une paire de baskets puis quitta la chambre.

— Pourrais-tu m'expliquer ce qui se passe ? demanda Zara en se tournant vers James.

— J'ai découvert que Kyle s'était vautré sur mon lit avec son petit copain. Je lui ai dit que je n'étais pas d'accord, et c'est parti en vrille.

— Ils ont dérangé tes affaires ?

— Non, c'est juste que…

Zara lui adressa un sourire entendu.

— Ce qui te dérange, c'est qu'ils soient gay, c'est ça ?

James hocha la tête. Il admirait les capacités d'analyse de Zara.

— Je sais que c'est con, mais l'idée que deux mecs fassent des trucs ensemble me donne envie de vomir.

— C'est une réaction assez courante, surtout chez les garçons de ton âge. Est-ce que tu as essayé d'expliquer à Kyle ce que tu ressentais ?

— Non, il m'arracherait la tête.

— Je lui parlerai à son retour, dit Zara. Ça serait trop bête que vous restiez fâchés.

— Merci, murmura James. C'est complètement débile, mais des fois, j'aimerais que Kyle redevienne normal. La vie serait tellement moins compliquée…

23. Strip-tease obligatoire

James pouvait une fois de plus constater les étranges propriétés du temps : le week-end avait filé plus rapidement que les cinquante premières minutes de cours du lundi matin.

Effondré sur sa table d'écolier, il ne quittait pas des yeux l'écran de la montre Fossil que Lauren lui avait offerte à Noël, impatient d'y voir apparaître 11:11:11. La prof d'histoire s'appelait Miss Choke — le nom de sa défunte mère. Il écoutait d'une oreille distraite un long exposé concernant la guerre de Corée, le général Walker et le 38e parallèle, en se demandant s'ils avaient un lointain lien de parenté.

Son téléphone portable émit une sonnerie discrète. Il le sortit de sa poche et constata qu'il avait reçu un SMS.

— Monsieur Wilson ! lança la prof.

James, qui ne s'était pas encore approprié son nom d'emprunt, mit trois secondes à réaliser que la femme l'interpellait.

— Je sais que vous êtes nouveau dans cet établissement, mais je vous rappelle que les téléphones portables doivent être éteints pendant les cours.

— Excusez-moi, mademoiselle, bredouilla-t-il tout en déchiffrant le message de Kyle :

JE SUIS 2VANT LE BAHUT
FO KON SE VOIE TT 2 SUITE
SUPER URGENT !!!

Depuis leur dispute de vendredi soir, les deux garçons s'étaient à peine adressé la parole. Ce message était forcément lié à l'opération. James se leva et saisit son sac à dos.

— Désolé, dit-il. Problème familial. Il faut que j'y aille immédiatement.

Ses camarades lui jetèrent des regards méprisants. Miss Choke était outrée.

— Ce n'est pas parce que l'année scolaire est presque terminée que vous pouvez aller et venir à votre guise ! gronda-t-elle.

— On en reparle la prochaine fois, d'accord ? lança-t-il avant de sortir de la salle de classe.

Il traversa un couloir, dévala deux volées de marches, puis franchit le portail au nez et à la barbe de la surveillante principale.

Kyle l'attendait de l'autre côté de la route.

— Faut qu'on se tire, dit James en jetant un regard anxieux par-dessus son épaule. Je n'ai pas été autorisé à quitter le collège.

— T'inquiète, j'ai tout prévu, l'assura son coéquipier en se dirigeant vers un taxi stationné à une vingtaine de mètres de l'entrée de l'établissement. Apparemment, Viv et Tom sont enfin parvenus à entrer en contact avec un groupe radical. Ils ont rencontré un type, hier soir, à l'université. Ils lui ont parlé de nous. Il y a une heure, j'ai reçu un appel d'un membre de cette organisation. Ils veulent nous rencontrer dès que possible.

— Excellent. Je voulais te demander, à propos de notre dispute… T'es encore fâché ?

Kyle haussa les épaules.

— Je n'ai pas vraiment eu le temps d'y réfléchir. Pour le moment, on a une mission à remplir.

James s'installa à l'arrière du taxi. Par la vitre du hayon, il vit le directeur adjoint du collège débouler sur le trottoir, hors de lui. Par chance, un flot ininterrompu de voitures l'empêchait de traverser la route.

— Je vous emmène où ? demanda le chauffeur avec un fort accent d'Europe de l'Est.

— À Bristol, dit Kyle. Un centre commercial nommé King Street Parade. Vous connaissez ?

∴

Le conducteur s'étant égaré dans le réseau de rues à sens unique du centre-ville, le prix de la course dépassa les vingt livres. Les agents empruntèrent l'Escalator menant à un *McDonald's* en plein air aménagé sur le toit du grand magasin.

— On doit s'asseoir à une table et attendre les instructions, expliqua Kyle. On ne connaît pas les moyens techniques de ce groupe. Il est possible qu'ils utilisent des dispositifs d'écoute, alors ne sors pas de ton personnage.

— Compris, dit James en desserrant sa cravate. On prend quelque chose à manger ?

— C'est pas encore l'heure de déjeuner.

Le téléphone de Kyle sonna à la seconde même où il s'assit sur une chaise en plastique.

— Vous êtes en retard, dit une femme à l'autre bout du fil.

Kyle comprit qu'il était surveillé à distance. Cette idée le mettait profondément mal à l'aise.

— Comme je vous l'ai expliqué, j'ai dû trouver un moyen de faire sortir James du collège.

Il regarda autour de lui dans l'espoir d'apercevoir son interlocutrice.

— Ne te fatigue pas, dit la femme. On va se voir dans quelques minutes. Mais d'abord, je veux que vous mettiez dans vos sacs à dos tout ce que vous avez sur vous. Montre, stylos, clés, dictaphone, couteau de poche, portefeuille, tout. Y compris ton téléphone dès qu'on aura terminé cette conversation.

— D'accord.

— Vous allez rester où vous vous trouvez pendant une minute et demie. Ensuite, vous prendrez l'ascenseur jusqu'au parking, niveau trois. Vous verrez un van garé juste en face de vous. Montez à l'arrière, allongez-vous à plat ventre sur le sol sans nous regarder et passez-nous vos sacs.

Sur ces mots, la femme mit un terme à la communication.

— Alors ? demanda James.

Kyle esquissa un sourire.

— J'ai l'impression que les choses sérieuses commencent.

∴

— Tu es sûr que c'est le bon étage ? demanda James.

— Oui, sûr et certain. Où est ce putain de van ? J'espère que ce n'est pas encore une des blagues débiles de Viv.

Un Transporter Volkswagen rouge déboucha de la rampe d'accès puis s'immobilisa devant eux. La femme qui était au volant portait des lunettes noires et une casquette de base-ball de façon à dissimuler les traits de son visage. Les portes arrière s'ouvrirent.

James et Kyle montèrent à bord du véhicule et s'allongèrent sur le sol métallique.

— Les sacs ! ordonna une femme avant de claquer les portières.

Lorsque le van se remit en mouvement, James, poussé par la curiosité, leva imperceptiblement la tête.

— Regarde le sol ! gronda une seconde militante en frappant le plancher du talon.

Le van emprunta une succession de rampes jusqu'à la sortie du parking. Les deux complices s'assirent sur des strapontins et commencèrent à inspecter le contenu des sacs à dos.

— Cahiers de textes, annonça l'une. Dis donc, ça me ramène quelques années en arrière. Stylos, bouquins, le bordel habituel…

— Passe-moi les portables. Je vais vérifier les répertoires.

Comme tous les agents de CHERUB en opération d'infiltration, James et Kyle utilisaient des cartes sim spéciales où ne figuraient pas les numéros de leurs amis et de leurs contacts. L'examen achevé, la femme éteignit les appareils afin qu'il soit impossible de tracer leur signal.

— Vous êtes un peu jeunes pour des flics infiltrés, plaisanta-t-elle. Mettez-vous debout face à la porte et retirez vos vêtements, sauf vos caleçons. N'essayez pas de nous regarder. Vous pourriez le regretter.

Les freinages et les accélérations du van firent de ce strip-tease forcé un exercice des plus acrobatiques. Les femmes inspectèrent le contenu de leurs poches et examinèrent chaque pièce de vêtement sous toutes ses coutures.

— C'est bon, rhabillez-vous, ordonna l'une d'elles.

James, qui restait attentif aux sons extérieurs et aux mouvements du véhicule, comprit qu'ils venaient de quitter le centre-ville et roulaient à vive allure sur une route peu fréquentée.

Une vingtaine de minutes plus tard, le van ralentit, s'engagea sur un chemin sinueux avant de s'immobiliser.

Les militantes bandèrent les yeux des garçons, les

guidèrent le long d'un sentier boueux jusqu'à un espace clos puis ôtèrent leurs bandeaux.

Ils se trouvaient dans une construction récente dominée par une immense verrière, aux murs en parpaings et au sol de béton nu. James supposa qu'il s'agissait d'une usine désaffectée.

Les trois femmes, le visage dissimulé sous des cagoules, portaient des rangers et des pantalons de treillis. La plus grande, qui se tenait entre ses deux complices, braquait un revolver dans leur direction.

— Merci d'être venus, les garçons, dit-elle.

James remarqua qu'elle s'exprimait avec une pointe d'accent américain.

— Je suis navrée de vous traiter de cette façon, mais la police et les services de renseignement voient d'un mauvais œil l'existence de groupes comme le nôtre. Nous devons donc prendre toutes les précautions imaginables pour protéger notre identité. Pendant cette réunion, vous m'appellerez Jo, bien que ce ne soit pas mon vrai nom.

L'une des activistes tendit à chaque garçon une petite bouteille d'eau minérale. Ils burent à grands traits sans quitter des yeux le canon de l'arme.

— Vous êtes de la MLA ? demanda James.

— Certains d'entre nous ont accompli des actions sous ce nom par le passé, confirma Jo. Mais nous mettons sur pied une nouvelle organisation. Si vous croyez vraiment à la cause libérationniste, nous vous offrons une occasion unique de mettre vos actes en accord avec vos idéaux.

— C'est vraiment nécessaire de nous balader un flingue sous le nez ? demanda Kyle, que cette menace rendait extrêmement nerveux. Le coup pourrait partir accidentellement.

— Ça n'a rien de personnel. Quelqu'un a entendu votre sœur dire que vous étiez tous les deux ceintures noires. Prenez cette mesure de sécurité comme un compliment. On ne ferait pas le poids à mains nues contre vous.

— Vous pourriez au moins le pointer vers le sol.

Jo plissa les yeux. James en déduisit qu'elle souriait sous sa cagoule. Elle baissa son arme.

— Votre beau-père, Ryan Quinn, a toujours su qu'il était préférable de conserver des effectifs réduits. Recruter des membres est l'activité la plus risquée qui soit pour un groupe opposé au gouvernement. Seulement, cette politique n'a pas que des aspects positifs.

— C'est clair. Sans militants, difficile de faire des étincelles.

— C'est bien résumé. Notre organisation souhaite monter la barre d'un cran. On est en train de planifier l'action la plus spectaculaire jamais entreprise par des libérationnistes. Et pour cela, nous aurons besoin de jeunes activistes qui n'ont pas froid aux yeux. Si tout fonctionne comme prévu, vous offrirez à la cause une publicité d'une ampleur sans précédent.

— Alors, c'est quoi votre plan ? demanda James sur un ton désinvolte, sans s'attendre à recevoir de réponse.

— J'ai bien peur de ne pouvoir entrer dans les détails avant le début de l'opération, mais je vais être franche avec vous : cette action n'est qu'un gigantesque coup de dés. Je pense que nos chances de réussite sont importantes, mais si vous vous faites prendre, vous tomberez probablement sous le coup des lois antiterroristes et passerez de nombreuses années en prison. Comme vous êtes tous les deux très jeunes, je veux m'assurer que vous êtes conscients des risques.

— On ne fait pas d'omelette sans casser des œufs, dit Kyle.

— Est-ce que Tom et Viv vont participer à l'opération ? demanda James.

Jo hocha la tête.

— Effectivement, ils ont tous les deux accepté de faire partie des nôtres.

— Dans ce cas, je suis partant.

La femme se fendit d'un large sourire.

— Ça fait plaisir de vous voir aussi enthousiastes. Seulement, vu l'ampleur de cette opération, je ne peux pas me contenter de simples déclarations. Vous allez devoir me prouver que vous avez le cran nécessaire pour aller jusqu'au bout.

— D'accord, qu'est-ce qu'il faut qu'on fasse ?

— Si vous êtes toujours prêts à nous rejoindre, nous vous chargerons de mener une première mission en compagnie de Tom et de Viv. Une sorte de test, si vous préférez, une action spectaculaire, mais aux risques mesurés. Si vous réussissez, vous deviendrez membres à part entière de notre organisation, et nous pourrons retirer ces foutues cagoules.

— Ça me convient, dit James.

— Alors, ce test, ça consiste en quoi ? demanda Kyle.

— Pour le moment, mes amies vont vous raccompagner en ville. On vous contactera dans environ deux semaines. Pendant ce temps, je veux que vous réfléchissiez sérieusement à tout ça. Si vous avez le moindre doute, faites passer le mot à Viv et vous n'entendrez plus jamais parler de nous. Mais si vous décidez de nous suivre, j'exigerai un engagement absolu. Si l'un de vous panique et fait capoter l'opération, il se pourrait que nous soyons obligés de le liquider afin de préserver notre propre sécurité. Est-ce que je me fais bien comprendre ?

Les garçons hochèrent la tête.

Soudain, le regard de Jo se posa sur les baskets de James.

— C'est du cuir ? lança-t-elle sur un ton accusateur.

— Ouais. Ma mère a toujours été végétarienne, mais on n'est devenus vegans que lorsqu'on a emménagé en compagnie de Ryan.

La femme pointa son arme vers le sol.

— Si je te revois une seule fois avec des morceaux de vache morte en guise de chaussures, je te fais sauter les orteils.

24. Un petit mensonge

À bord du bus qui la reconduisait à Corbyn Copse, Lauren reçut un appel de Zara lui demandant fermement de ne pas inviter Stuart au cottage.

Elle adressa une caresse à Boulette dans l'entrée et se précipita vers la cuisine, impatiente de connaître les derniers développements de la mission.

Ses coéquipiers lui décrivirent en détail leur rencontre avec les trois femmes de l'organisation secrète.

— C'est fantastique ! s'exclama Lauren. Dommage que je ne puisse pas participer à ces opérations.

James, Kyle et Zara se penchèrent au-dessus de la table de la cuisine pour étudier une carte des environs de Bristol. En se basant sur les sensations éprouvées à bord du van, ils s'efforcèrent de localiser le bâtiment où ils avaient été conduits.

Bristol se trouvait à l'intersection des autoroutes M4 et M5, toutes deux reliées à un réseau complexe de routes secondaires. Les activistes avaient très bien pu brouiller les cartes en rallongeant artificiellement le parcours. La seule certitude, compte tenu du temps passé à bord du véhicule, c'est que l'usine désaffectée ne pouvait pas se trouver à plus de trente-cinq kilomètres du parking où ils avaient embarqué.

— Vous avez relevé le numéro d'immatriculation ? demanda Lauren.

— Évidemment, soupira James.

— Dans ce cas, on devrait savoir quelle autoroute vous avez empruntée grâce aux caméras de surveillance.

— Effectivement, dit Zara, on pourrait analyser les vidéos grâce au système de reconnaissance visuelle, mais il faudrait que le MI5 fasse une demande officielle, ce qui prendrait deux ou trois jours. Et le résultat n'est pas garanti, vu la densité du trafic.

— Ces nanas sont hyper organisées, fit observer James. Je suis certain que ces plaques étaient fausses. Elles s'en sont sûrement débarrassées juste après nous avoir déposés.

— Le bâtiment que vous nous avez décrit est très particulier, poursuivit Zara. Je vais demander aux assistants du campus de contacter les agents immobiliers de la région. Si ça ne donne rien, ils éplucheront le cadastre des mairies pour localiser les usines construites au cours des dix dernières années.

— Ça prendra combien de temps ? demanda Lauren. Zara haussa les épaules.

— Je ne sais pas trop. Des jours, peut-être des semaines. Les choses progresseront sans doute plus vite de notre côté, mais ça vaut la peine d'essayer.

James se tourna vers sa sœur.

— Au fait, toi, je te retiens… C'est ta faute si Jo nous a braqués avec un flingue. L'un de ses complices t'a entendue dire qu'on était ceintures noires de karaté.

— Tiens, tiens, murmura Lauren, intriguée. C'est forcément quelqu'un que j'ai rencontré devant le labo. Je n'aurais jamais cru qu'un des pique-niqueurs pouvait être lié à des activistes radicaux.

— Ce qui prouve que tu ne perds pas ton temps en compagnie des manifestants, ajouta Zara. Tu n'as peut-être pas le rôle le plus excitant de l'équipe, mais je ne veux plus t'entendre te plaindre.

— Oh ! mais je m'amuse comme une folle, ironisa la jeune fille. C'est passionnant d'entendre des histoires de varices et de prostate à longueur de journée…

— Je trouve tout ça un peu inquiétant, fit observer James. L'opération a fait un grand pas en avant, mais on ignore tout de ceux qui essayent de nous recruter. On ne sait pas quand ils vont nous faire passer ce test, ni ce qu'ils attendent de nous. Ce ne sont pas des tendres. J'ai peur qu'on nous force à tabasser quelqu'un, voire pire.

Kyle hocha la tête.

— Et si Viv se trouve avec nous, la situation pourrait rapidement devenir incontrôlable.

— C'est clair, ce mec me fout la trouille, dit James. Quoi qu'on nous demande, il s'arrangera pour en rajouter.

Zara s'accorda quelques secondes de réflexion.

— S'il s'agit de casser des vitres ou de tracer des graffitis, pas de problème. Au-delà, vous resterez vigilants. Si les choses vont trop loin, vous devrez peut-être interrompre la mission. Je vous fais confiance pour mesurer la gravité de la situation.

— Avec un peu de chance, cette histoire de test n'est qu'un coup de bluff, suggéra Lauren. Vous vous rappelez la fois où James et Kerry ont dû livrer ce chargement de cocaïne ? En fait, le paquet contenait de la farine.

— Croisons les doigts, lâcha Kyle.

∴

Le mardi matin, James et Zara se présentèrent dans le bureau de Mr Snow, professeur principal et instructeur d'éducation physique.

C'était un Australien au sourire Colgate qui avait l'habitude de se promener en short dans les couloirs du collège en exhibant des jambes excessivement velues. La plupart des filles étaient folles de lui. Les garçons le tenaient pour un demeuré.

— Tu es dans cette école depuis à peine un mois, dit-il en joignant les mains pour souligner la gravité de la situation. Tu t'es absenté deux fois. C'est absolument inacceptable.

James et Zara se moquaient éperdument des simagrées de Snow, mais ils devaient se comporter comme une mère et un fils ordinaires afin de préserver leur couverture.

— James est un peu perturbé depuis notre arrivée au village. Il a du mal à s'intégrer. L'autre fois, il a reçu un message de son grand frère lui annonçant qu'il venait de se disputer avec sa petite amie.

Mr Snow lui adressa un sourire entendu, signifiant clairement qu'il n'aimait pas qu'on le prenne pour un idiot.

— Comme dans tous les établissements, les téléphones portables doivent rester éteints pendant les cours. Un élève peut quitter sa classe en cas de force majeure, mais il y a une procédure à respecter. Il doit informer son professeur, qui avertit le proviseur, qui en réfère au directeur. Il est ensuite conduit par un surveillant jusqu'à la porte de l'établissement. Est-ce que c'est clair, James ?

— Oui, monsieur.

— Je sais que tu es nouveau ici et j'ai parfaitement conscience que tu éprouves des difficultés d'adaptation. *Mais* nous appliquons une politique de tolérance zéro en ce qui concerne l'absentéisme. De plus, tu as désobéi à Miss Choke devant tes camarades, et je ne peux pas laisser cette attitude impunie. J'ai l'intention de demander ton exclusion pendant trois jours, ce qui signifie que tu ne reviendras pas au collège avant les vacances.

James, qui avait craint de récolter de nombreuses heures de colle, réprima un sourire. La mesure proposée par son professeur était tout à fait à son goût. Il faisait un temps superbe, et il avait mieux à faire que de perdre son temps dans ce collège minable.

— J'espère que ton attitude aura changé d'ici la rentrée. La seconde est une classe très importante pour la suite de ta scolarité.

••

Leur rendez-vous achevé, James et Zara rejoignirent le parking où était garé le monospace.

James était aux anges. Il défit sa cravate et la fit tournoyer triomphalement au-dessus de sa tête. Il était peu probable que la mission se prolonge sept semaines de plus. Il était convaincu qu'il ne remettrait jamais les pieds dans ce collège détesté.

— Lauren va piquer sa crise quand elle va apprendre que je suis en vacances, lança-t-il gaiement.

— Nom de Dieu, essaye au moins de te comporter comme un garçon qui vient de se faire virer jusqu'à ce qu'on soit partis, murmura Zara.

Elle appréciait son agent, mais il lui arrivait parfois d'être exaspérée par son attitude arrogante. Réalisant qu'il avait agi comme un idiot, James se glissa sur le siège passager avant.

Tandis que la voiture roulait vers le cottage, le téléphone de Zara sonna.

— Tu peux répondre ? demanda-t-elle. Il est dans ma veste, sur la banquette du milieu.

James se tortilla pour s'emparer du mobile.

— Téléphone de Zara, j'écoute ?

— C'est Ewart. Tu peux me passer ma femme ?

James lui tendit le combiné.

— Quitte pas, dit Zara. Je vais me garer.

Elle immobilisa le véhicule sur le bas-côté.

— Oh, tu l'as reçu ? bredouilla-t-elle, manifestement troublée. Alors, c'est une bonne ou une mauvaise
nouvelle ? Mais oui, imbécile, bien sûr que je veux que
tu ouvres l'enveloppe.

James était intrigué par la conversation, mais il ne
comprenait pas de quoi il était question.

— Oh ! je n'arrive pas à le croire, s'exclama Zara.
C'est génial.

Elle bondissait sur son siège comme une petite fille
surexcitée. James, stupéfait, vit des larmes de joie
rouler sur ses joues.

— Je n'y croyais pas une seconde. Tu te rends
compte ? À mon âge, avec deux enfants de moins de
cinq ans… Alors, c'est pour quand ?

La conversation se poursuivit pendant une minute et
s'acheva par de vibrants *je t'aime*.

— Tu es encore enceinte ? demanda James en lui
tendant un paquet de Kleenex.

— Non, qu'est-ce que tu vas imaginer ? gloussa Zara.
Bon, je crois que tu en as déjà trop entendu. Je te dois
quelques explications. Mais tu ne diras rien à personne,
même pas à Lauren, promis ?

James hocha la tête, l'air détaché. En vérité, il mou-
rait d'envie de connaître le secret de Zara.

— Tu te souviens quand je suis allée au campus, le
jour où vous avez sauvé Boulette ?

— Ouais, la fois où tu as passé dix heures en réunion.

— Ça, c'était un petit mensonge, sourit Zara. En fait, j'étais là-bas pour un entretien professionnel.

— Un entretien professionnel ?

— Oui, j'ai postulé pour une fonction importante. Au début, je n'étais pas très chaude, car il y avait plusieurs candidats sérieux sur les rangs. En plus, je pensais que j'étais trop jeune et que le fait d'avoir deux enfants en bas âge ne jouait pas en ma faveur. Mais Ewart m'a poussée à tenter le coup. Il disait que ça ne pourrait être qu'une expérience positive, même si je me plantais.

James, bouleversé à l'idée que Zara soit sur le point de quitter CHERUB, s'apprêtait à protester énergiquement lorsqu'une idée folle traversa son esprit.

— Attends, tu es la nouvelle directrice de CHERUB ? s'étrangla-t-il.

— Pas encore, sourit Zara. Ils ont auditionné huit candidats. Ewart vient de m'annoncer que je suis en finale. J'ai rendez-vous pour un entretien à Londres, mardi prochain, au 10, Downing Street.

— Chez le Premier Ministre ?

Zara hocha la tête.

— Je dois passer devant un jury composé de trois personnes : le docteur McAfferty, le Premier Ministre et le ministre des Services secrets.

James n'en croyait pas ses oreilles.

— Comment as-tu réussi à garder ça pour toi aussi longtemps ? J'espère vraiment que tu obtiendras le poste. C'est qui, l'autre candidat ?

— C'est là que ça coince. Il s'appelle Geoff Cox. Il n'a jamais travaillé à CHERUB, mais il est beaucoup plus qualifié que moi. Il a une cinquantaine d'années. Il a fait partie des services secrets dans les années 1970 avant de se tourner vers l'enseignement. Depuis sept ans, il dirige un lycée de Londres. Lorsqu'il est arrivé, c'était une vraie poubelle. Aujourd'hui, c'est l'un des meilleurs établissements du pays.

— C'est un gros nul, marmonna James en balayant tous ces arguments d'un geste de la main. Moi, en tout cas, je voterais pour toi.

— La plupart des gens me donnent perdante, James. Mais on ne sait jamais. Je n'aurais jamais cru que je ferais partie des deux derniers candidats.

— C'est trop cool. Le problème, c'est que je ne vais sûrement pas arriver à dormir, maintenant que je suis au courant. Trop de suspense, tu comprends.

Zara éclata de rire.

— Si toi tu en perds le sommeil, imagine un peu dans quel état je suis…

25. Convois spéciaux

Lauren, vêtue d'une simple chemise de nuit, était avachie dans le canapé du salon. Un bol de céréales sur les genoux, elle regardait d'un œil vague un programme pour enfants du samedi matin. Boulette, pelotonné contre sa cuisse, ronflait doucement. Elle n'avait pas remarqué que James et Kyle l'espionnaient depuis la fenêtre donnant sur le jardin.

Les garçons se glissèrent furtivement dans la maison, firent halte dans le couloir pour ôter leur short, leur T-shirt et leurs chaussettes, et firent irruption dans le salon. Lauren, prise par surprise, fit un bond spectaculaire puis essuya une pluie de vêtements humides roulés en boule. Elle esquiva habilement les chaussettes de son frère mais renversa son bol sur sa chemise de nuit.

— Bande de débiles ! hurla-t-elle en regardant le lait dégouliner sur ses cuisses.

James était écroulé de rire.

— T'aurais vu ta gueule, gloussa-t-il.

Boulette, qui trouvait ce chahut très amusant, sauta du sofa, bien décidé à tailler en pièces les vêtements éparpillés aux quatre coins du salon. Les garçons le pourchassèrent en riant.

— On peut pas passer un samedi tranquille dans cette baraque ? gronda Lauren, partagée entre la fureur et l'envie de se joindre à l'hilarité générale. Je suis toute trempée.

— Allez quoi, dit James, tu n'es quand même pas fâchée contre ton grand frère adoré ? Fais-moi un bisou…

— Même pas dans tes rêves, répliqua sa sœur en le repoussant de toutes ses forces. En plus, tu pues la sueur !

James, estimant qu'il avait assez joué avec les nerfs de Lauren, commença à rassembler ses affaires.

— Alors, c'était comment ce footing ? demanda-t-elle.

— Excellent, répondit Kyle. On a couru presque sept kilomètres autour du complexe Malarek et dans les champs. Au retour, on a sprinté jusqu'au village.

— C'est marrant, le pantalon de Stuart est toujours perché dans l'arbre, ajouta James.

— Tu aurais dû venir avec nous. On perd rapidement la forme quand on est en mission.

— Tu m'étonnes, confirma James. Tu n'en fous pas une depuis qu'on est ici. Si tu ne veux pas écoper d'un programme de remise en forme accéléré quand on rentrera au campus, je te conseille de t'y mettre. Tu sais comment sont les instructeurs. De vrais fachos.

— Ouais, je sais, dit Lauren. Mais contrairement à vous, les sécheurs professionnels, je suis allée à l'école toute la semaine. Je pense que j'ai bien mérité une matinée télé et Choco Pops.

— Tu viendras avec nous la prochaine fois ? demanda Kyle.

— Sûrement. Ah ! tiens, au fait, j'ai entendu ton téléphone sonner quand j'étais aux toilettes. Tu devrais écouter ta messagerie.

— OK, merci, dit Kyle. James, tu peux passer à la douche en premier.

Ce dernier s'empara d'une serviette propre dans le placard situé au pied de l'escalier et courut s'enfermer dans la salle de bains. Kyle regagna leur chambre, piétina au passage le tas de vêtements de son coéquipier, puis récupéra son portable sur le rebord de la fenêtre.

Tom l'avait appelé deux fois. Il espérait qu'il s'agissait d'une invitation au restaurant ou au ciné, mais le mode de vie des deux frères, qui faisaient la fête jusqu'à l'aube et se levaient rarement avant midi au cours du week-end, rendait cette hypothèse peu probable. Kyle composa son numéro.

— Salut, toi ! s'exclama Tom, surexcité.

— Salut ! Je parie que tu as reçu un coup de fil de nos amis terroristes.

— Comment tu sais ?

— Selon mon portable, tu as essayé de me joindre à neuf heures quarante-trois. En général, tu n'es même pas en état de parler à une heure pareille.

— Bien vu. J'ai reçu des instructions, mais on a un problème. Hier soir, Viv a emmené Sophie dîner en ville, dans un nouveau restau végétalien. Depuis, il a mal au bide, je te raconte pas, et des frissons pas possibles.

— Tu as expliqué ça à la personne qui t'a contacté ?

— Ouais, et elle ne l'a pas bien pris. *On attend des résultats, pas des excuses. Si vous n'êtes pas capables de surmonter une petite difficulté opérationnelle, notre organisation n'a pas besoin de vous.* Là-dessus, elle a raccroché.

Kyle était soulagé que Viv ne soit pas en état de participer à l'opération.

— Bon, de notre côté, on a fait un footing ce matin et on est en pleine forme. C'est quoi, tes instructions ?

— Oh, on ne m'a pas dit grand-chose. Tu sais comme ils sont prudents. L'appel a duré moins d'une minute. La nana que j'ai eue en ligne m'a donné rendez-vous à la station-service Rigsworth sur l'autoroute M5. Il faut qu'on y soit à dix-huit heures.

— On doit rencontrer quelqu'un ?

— Elle n'est pas entrée dans les détails. Elle a juste dit qu'on n'avait pas intérêt à être en retard. Le point de rassemblement n'est qu'à une heure de Corbyn, mais on ferait mieux de compter large, vu qu'il pourrait y avoir des embouteillages. Je passe vous chercher à seize heures trente.

∴

Tom se présenta à l'heure convenue à bord de la Mercedes de Viv. Il n'avait décroché son permis que depuis quelques mois et semblait mal à l'aise au volant de ce véhicule deux fois plus long que sa MG. Il restait collé dans la file réservée aux véhicules les plus lents et manifestait des signes d'inquiétude à chaque fois qu'il devait accélérer pour dépasser un semi-remorque ou une voiture tractant une caravane.

En ce premier week-end des vacances scolaires, la moitié du pays s'était jetée sur les routes. Une foule d'estivants avait envahi la station-service. Tom dut faire deux tours de parking avant de dénicher une place. À l'intérieur du bâtiment, une file d'attente interminable s'était formée devant les toilettes. Le self-service était bondé. La plupart des enfants suppliaient leurs parents de leur offrir des articles hors de prix aperçus dans la boutique de souvenirs.

Kyle acheta trois bouteilles d'eau minérale à un distributeur automatique, puis les trois garçons s'assirent sur le rebord d'une fenêtre. Le téléphone de James sonna à six heures pile.

— Ça va, les gars ? demanda une voix féminine semblable à celle de Jo.

— Pas mal. Alors, qu'est-ce qu'on fait, maintenant ? On doit rencontrer quelqu'un ?

— Oui, en quelque sorte, c'est une vieille connaissance. Dirigez-vous vers le parking, rangée H, à trois places de l'extrémité de l'allée. Les clés sont scotchées sous le véhicule, au niveau de la portière avant droite.

Vous trouverez les instructions et l'équipement nécessaire à l'intérieur.

Sur ces mots, la femme interrompit la communication. James glissa le portable dans la poche arrière de son pantalon de survêtement et invita ses camarades à le suivre à l'extérieur.

— Le voilà ! lança-t-il en désignant le van Volkswagen rouge.

C'était le véhicule à bord duquel les deux agents avaient été transportés jusqu'au point de rendez-vous, trois jours plus tôt. La moitié inférieure de la carrosserie avait été peinte en jaune canari, et des logos adhésifs placés sur les flancs et les portes arrière : *Rapid Trak — Convois spéciaux*. James glissa une main sous le bas de caisse et y trouva une clé qu'il remit à Kyle.

Tom afficha une expression boudeuse.

— Pourquoi c'est pas moi qui conduis ?

— Le prends pas mal, beau gosse, mais tu roules comme ma grand-mère, répondit son petit ami.

Le trio se tassa à l'avant du van. Kyle occupait le siège du conducteur. Tom s'assit au milieu, James près de la portière, côté passager. Il ouvrit la boîte à gants. Une masse de papiers tomba à ses pieds.

— Putain de merde, grogna-t-il en se penchant pour ramasser les documents.

Il tomba sur un prospectus publicitaire frappé du logo de Rapid Trak et du slogan « *Depuis plus de trente ans, nous livrons l'inlivrable* », puis il découvrit une carte du pays de Galles comportant un itinéraire soigneusement tracé au surligneur. Enfin, il trouva une large enveloppe sur laquelle figurait l'inscription manuscrite *Lisez-moi !*

Il décolla le rabat et en tira quatre dossiers agrafés. Il en remit un exemplaire à Kyle et à Tom avant d'en prendre connaissance.

Salut les garçons !

Ce jour marque le début d'une nouvelle ère pour le mouvement libérationniste. Vous êtes sur le point d'accomplir l'une des trois actions simultanées planifiées par notre groupe, l'Armée de Libération des Animaux.

Ce document contient tous les détails qui vous permettront d'accomplir cette opération. L'équipement nécessaire se trouve dans le compartiment arrière.

Au cours des trois dernières années, les militants libérationnistes ont exercé des pressions sur les fournisseurs et les prestataires de services du laboratoire Malarek. La plupart de ces sociétés ont accepté de mettre un terme à leur collaboration. Cependant, les dirigeants de la compagnie Rapid Trak ont toujours refusé de rencontrer les membres de l'Alliance Zebra. Ils ont poursuivi leurs livraisons de souris vivantes et d'oiseaux destinés aux expérimentations animales.

En mars 2006, Rapid Trak a fait l'acquisition d'un van anonyme dans ce seul objectif. C'est aujourd'hui la dernière compagnie à effectuer de telles livraisons. Sans elle, Malarek se trouverait dans l'impossibilité de poursuivre ses activités.

L'opération que vous vous apprêtez à mener amènera sans doute Rapid Trak à réviser sa politique.

Vous êtes priés de lire attentivement la suite de ce document. Nous attirons en particulier votre attention sur la nécessité de ne pas laisser derrière vous de traces d'ADN, d'empreintes digitales et autres preuves biométriques. En outre, vous attacherez un soin particulier à la destruction totale de ce véhicule.

Bonne chance,

Les dirigeants de l'ALA

26. Apocalypse Now

Le van Volkswagen filait dans la nuit sur une route étroite et faiblement éclairée. James et Tom étaient installés dans le compartiment arrière.

Il régnait une chaleur étouffante. Des effluves de kérosène émanaient du bidon de napalm soudé au sol métallique du véhicule.

— Tu as vu *Apocalypse Now* ? demanda Tom.

— Je ne crois pas, répondit James.

— Les Américains balancent d'énormes bombes incendiaires sur la forêt vietnamienne. Après l'attaque, le colonel débarque de son hélico, respire à fond et dit à ses hommes : « *J'adore l'odeur du napalm au petit matin.* »

James sourit.

— C'est sympa, comme film ?

— Génial ! J'ai le DVD. Je te le prêterai, si on ne se fait pas exploser la tronche pendant l'opération.

— Sympa, hocha James. Je vais avoir plein de temps libre, maintenant que je suis en vacances.

James avait le sentiment qu'il avait établi avec Tom un rapport de confiance. Il pouvait désormais se permettre de poser des questions en rapport avec la mission de CHERUB sans risquer de se compromettre.

— Où est-ce que l'ALA a bien pu dénicher du napalm ?

— Je pense qu'ils l'ont fabriqué eux-mêmes. La recette est facile à trouver sur Internet. Viv et moi, on en a préparé une petite quantité, une fois, juste pour voir. Il suffit de mélanger de l'essence ou du kérosène à un agent gélifiant.

— Ah, je savais pas, mentit James.

— Avec ce produit, tu peux incendier n'importe quoi. L'essence se consume trop vite pour détruire intégralement une cible. Le napalm adhère à toutes les surfaces et se répand en couche plus épaisse.

James, qui avait reçu plusieurs cours concernant les armes chimiques utilisées par les terroristes, écouta attentivement ces explications puis écarquilla les yeux en signe d'étonnement.

— Vous vous en êtes déjà servis, Viv et toi ?

— Non, jamais. Ce truc est super explosif. Il suffit d'une étincelle pour foutre le feu au récipient. En plus, franchement, je préfère que Viv ne se balade pas avec du napalm, si tu vois ce que je veux dire…

— C'est clair. Ne le prends pas mal, mais Viv est complètement malade, gloussa James.

— Je suis d'accord, mais il n'empêche que je l'adore. À part lui, il n'y a que des salauds dans ma famille. Viv et moi, on se serre les coudes depuis qu'on est tout petits.

Kyle fit glisser la vitre coulissante qui séparait la cabine du compartiment arrière.

— Il faut que vous la fermiez, maintenant, dit Kyle. On arrive au dépôt de Rapid Trak.

— Compris, répondit James.

— Bonne chance, mec, lança Tom. Et, quoi qu'il arrive, essaye de garder ton calme, d'accord ?

Kyle était à bout de forces. Dans des circonstances habituelles, le trajet de Bristol à Wrexham, au pays de Galles, n'aurait pas pris plus de trois heures et demie, mais en raison des départs en vacances, il s'était retrouvé bloqué dans des embouteillages inextricables. Il était plus d'une heure du matin. Il avait mal aux genoux et aux chevilles. Seule la perspective de l'acte de vandalisme de grande ampleur qu'il s'apprêtait à accomplir le maintenait éveillé.

Les choses auraient pu être pires. Ils n'avaient pas reçu l'ordre d'exercer des violences physiques sur des êtres humains, mais de détruire d'importantes installations. En outre, la défection de Viv pour raison de santé était une véritable bénédiction.

Les locaux de Rapid Trak étaient rassemblés dans une zone industrielle isolée. Le van longea un entrepôt et un bâtiment administratif en briques rouges. L'établissement fonctionnait vingt-quatre heures sur vingt-quatre, sept jours sur sept, mais son activité était réduite pendant le week-end. Une douzaine de voitures étaient garées sur le parking de cent places réservé au personnel.

Le van ralentit devant la barrière située à l'entrée du parc de stationnement des véhicules de livraison. Une femme d'une cinquantaine d'années vêtue d'un uniforme noir sortit du poste de sécurité. Kyle baissa la vitre et lui adressa un large sourire.

— Qu'est-ce qui vous est arrivé ? demanda la femme. Je croyais que le dernier chauffeur devait être ici à neuf heures.

— À huit heures en fait, mentit Kyle, l'air faussement agacé. Je suis resté coincé dans un embouteillage dément sur la nationale 49. J'ai jamais vu un bordel pareil.

— Vous êtes nouveau ? demanda la femme.

— Oui, c'est mon premier jour de boulot. Je viens d'arrêter le lycée. Je m'appelle Éric Cartman. Enchanté de faire votre connaissance.

— Eileen Rice, répondit-elle avant de reculer vers la guérite pour actionner l'interrupteur commandant l'ouverture de la barrière.

Kyle lui adressa un signe de la main puis roula jusqu'au parking où plus d'une centaine d'utilitaires étaient stationnés, du semi-remorque aux camionnettes les plus compactes. Il se gara entre deux vans Volkswagen identiques à celui qu'il conduisait, descendit du véhicule, fit coulisser la porte latérale du compartiment arrière et trouva ses deux complices hilares.

— Qu'est-ce qui vous fait marrer ? demanda Kyle.

— Éric Cartman, sourit Tom. *Trop* marrant.

— Qu'est-ce que ça a de drôle ?

— C'est le nom du petit gros dans *South Park*.

— Oh merde ! Je ne me rappelais plus. Je me disais bien que ce nom me disait quelque chose...

— T'inquiète. Vu son âge, cette nana ne doit regarder que des *soap operas* à la con.

— Elle a l'air plutôt sympa, ajouta James en se penchant à l'intérieur du van pour s'emparer d'un cutter et de deux rouleaux de bande adhésive.

— Ce n'est pas le moment de faire dans les sentiments, dit Kyle. Elle a un bouton d'alarme sous son bureau. Elle n'hésitera pas à l'actionner si on lui en laisse le temps.

Il releva la fermeture Éclair de son sweat à capuche, ôta sa casquette Rapid Trak et enfila une cagoule et des gants en caoutchouc. Tom et James l'imitèrent puis se dirigèrent au pas de course vers le poste de sécurité.

— N'empêche, chuchota ce dernier, ça me fout les boules d'être obligé de secouer une bonne femme qui pourrait pratiquement être ma grand-mère.

Assise à un petit bureau, l'employée, crayon en main, noircissait une grille de sudoku. Une petite radio à piles diffusait un talk-show du soir.

— Les mains en l'air ! hurla Tom en déboulant dans la guérite.

Joignant le geste à la parole, il poussa la femme qui chuta lourdement de son tabouret. Il posa son pied sur sa poitrine pour la maintenir au sol. James s'agenouilla, lui enfonça un morceau de tissu dans la bouche puis la bâillonna à l'aide du ruban adhésif. Il se redressa et examina le contenu du sac à main posé sur le bureau.

— C'est bon, je les ai ! dit-il en exhibant un trousseau de clés.

Tom saisit la femme par le col de sa veste et la remit sur pied d'une seule main.

— Allez la vieille, on va faire un tour.

— Tenez-vous tranquille et tout ira bien, ajouta James, qui appliquait la bonne vieille stratégie du bon et du méchant.

La femme tremblait de tous ses membres. Tom la poussa hors de l'abri et la força à longer la clôture grillagée qui délimitait le périmètre du parking. Ils marchèrent jusqu'à une zone déserte à demi envahie par la végétation.

— Allonge-toi ! ordonna Tom en bousculant brutalement sa victime.

Lorsqu'elle se fut exécutée, James lui attacha les poignets et les chevilles, puis noua les deux liens l'un à l'autre, de façon à ce qu'elle ne puisse pas rouler sur elle-même.

— Tiens, prends les clés, dit-il à son complice. Va chercher sa voiture au parking du personnel pendant que je file un coup de main à Kyle.

Les deux garçons se séparèrent, abandonnant la femme ligotée dans l'herbe.

James rejoignit le parc de stationnement des véhicules utilitaires et retrouva Kyle près du van.

Ce dernier, qui se tenait à l'intérieur du fourgon devant les deux portes ouvertes, brandissait un tuyau flexible connecté au bidon de napalm.

— Je suis prêt, dit-il. Tu veux conduire ?

— Ça marche.

— N'oublie pas de récupérer le sac à dos contenant nos affaires avant de descendre.

James s'assit derrière le volant et tourna la clé de contact.

— Roule doucement ! cria Kyle depuis le compartiment.

James passa la première et avança au pas sur le parking. Maîtrisant mal la boîte de vitesses, il craignait de caler à tout moment. Kyle se pencha à l'extérieur et arrosa le capot des véhicules stationnés de chaque côté de la chaussée. Il prit soin de laisser couler un mince filet sur le sol afin que le feu se propage rapidement d'un utilitaire à l'autre.

Lorsque le van aborda la quatrième et dernière allée, Kyle frappa du poing à la lucarne séparant la cabine du compartiment. James écrasa la pédale de frein et se tourna vers son coéquipier.

— Je n'ai presque plus de pression, le prévint Kyle. Je n'obtiens plus que quelques gouttes à chaque coup de pompe. Je pense qu'il faut garder ce qui nous reste pour le van. On a dû laisser nos empreintes un peu partout.

— OK, dit James.

Il sortit la clé de contact et eut une dernière pensée émue pour ce fourgon qui n'avait même pas trois mille kilomètres au compteur. Il jeta le sac à dos sur son épaule et mit pied à terre. L'odeur du combustible gélifié répandu sur plus de soixante camions et fourgonnettes lui brûlait les poumons.

Il réalisa alors avec épouvante qu'une seule étincelle pouvait transformer tout le parking en brasier et le réduire instantanément en cendres. Kyle pointa le tuyau vers le capot du van et répandit les dernières gouttelettes de napalm.

— Tirons-nous d'ici, dit James. Tu as les petites bouteilles ?

— Oui. Et le briquet se trouve dans ma poche.

Les garçons marchèrent d'un pas vif vers le poste de sécurité puis se figèrent. Là où, conformément au plan, Tom aurait dû les attendre, moteur tournant, à bord de la voiture de la femme qu'ils avaient neutralisée, se trouvait un van Rapid Trak. Le chauffeur était à l'intérieur de l'abri, un téléphone plaqué contre l'oreille. Trois autres employés patientaient devant la porte.

— Galère, s'étrangla James. Qu'est-ce qu'on fait ?

— Où est Tom ? demanda Kyle.

— Soit il s'est fait choper en piquant la voiture, soit il a flippé quand il a vu qu'il y avait du monde à l'entrée.

— Génial, soupira Kyle.

— Alors, tu as une idée ? On se tire en courant ?

— On n'a pas trop le choix. Si on se fait attraper, la mission tombera à l'eau, mais je n'ai aucune envie de cramer vivant dans ce foutu parking.

Ils s'élancèrent, franchirent le portail, passèrent

devant le poste de sécurité et coururent droit devant eux, au milieu de la route. Les trois employés qui se tenaient à l'extérieur les prirent aussitôt en chasse. Deux d'entre eux furent rapidement distancés, mais le troisième, un Noir extrêmement athlétique, n'éprouvait aucune difficulté à rester au contact des garçons.

Après trois cents mètres de course-poursuite, l'homme accéléra, plongea en avant et percuta James de plein fouet, l'envoyant rouler sur le bitume. Ce dernier tendit les mains pour amortir sa chute. Ses gants se déchirèrent. Emporté par son élan, il bascula et son visage rencontra le trottoir. Il essaya de se redresser, mais un violent coup de pied à la poitrine le cloua au sol.

Constatant que son coéquipier se trouvait dans une situation délicate, Kyle revint sur ses pas et fit face à l'employé qui se tenait désormais en position de combat. Il n'était pas très optimiste quant à l'issue de l'affrontement : son adversaire était massif, le dominait d'une tête et, manifestement, savait se battre.

Soudain, un moteur rugit puis deux phares déchirèrent l'obscurité. Surgie de nulle part, une Ford Fiesta percuta l'homme à plus de cinquante kilomètres heure. Il roula sur le capot puis s'affala sur la chaussée, sans connaissance.

La voiture pila. Kyle aida James à se relever.

— Rien de cassé ?

— Je n'arrive pas à respirer, gémit son camarade, une main plaquée sur sa poitrine. Et j'ai super mal aux côtes.

Kyle l'aida à s'installer sur le siège arrière.

— Où tu étais passé ? demanda-t-il à Tom qui se tenait au volant.

— Je vous attendais devant le poste de sécurité comme prévu, répondit Tom en écrasant la pédale d'accélérateur. Et puis ce chauffeur s'est pointé. Quand il a vu qu'il n'y avait personne dans l'abri, il s'est dirigé vers moi, alors j'ai mis la gomme et j'ai tourné autour du dépôt.

— N'importe quoi, dit Kyle en ôtant sa cagoule. Ce type était plus petit que toi et tu bénéficiais de l'effet de surprise. Pourquoi tu ne l'as pas neutralisé ? Avec tes conneries, il a eu le temps de passer des coups de fil pour signaler que la nana n'était pas à son poste.

— Je n'y ai pas pensé, avoua Tom.

Il s'engagea sur la route de service qui circulait autour du complexe et s'arrêta à l'arrière du parking des véhicules utilitaires.

Kyle descendit la vitre électrique puis sortit de la poche de sa veste deux petites bouteilles remplies aux deux tiers de napalm. Il dévissa les bouchons et glissa dans chaque goulot une petite bande de papier chiffonné.

— Prépare-toi à mettre la gomme ! lança-t-il. Ça va péter.

Il alluma les mèches à l'aide d'un briquet et lança les bouteilles par-dessus la clôture. Tom enfonça l'accélérateur. James et Kyle se tournèrent pour assister au feu d'artifice.

Vingt secondes s'écoulèrent sans que rien ne se produise.

— On y retourne ? demanda Tom.

— Mais comment c'est possible ? gronda Kyle, hors de lui. Ce parking nage dans le napalm !

Tom se gara sur le bas-côté.

— Quelle merde ! rugit-il en frappant du poing sur le volant.

— On ne peut pas y retourner. Les flics doivent déjà être en route. C'est trop dan...

À ce moment précis, le ciel s'embrasa. Le souffle de l'explosion chahuta la petite Ford immobilisée à cent mètres du dépôt. Les alarmes des voitures se mirent à hurler simultanément. Les vitres des bâtiments voisins furent pulvérisées. James sentit la vague de chaleur sur son visage, amplifiée par le pare-brise arrière.

Tom redémarra pied au plancher et s'engagea sur la route d'accès à deux voies menant à l'extérieur des installations de Rapid Trak. De nouvelles explosions retentirent. Des colonnes de flammes s'élevaient à cinquante mètres dans les airs. Lorsque les détonations cessèrent, les trois complices entendirent au loin le son perçant des sirènes de police.

27. Rêves d'autoroute

Vingt minutes plus tard, l'équipe atteignit une grande maison à colombages située à sept kilomètres de Wrexham. Dès que Tom eut garé la Ford dans le garage, un inconnu longiligne abaissa la porte métallique.

— Vous êtes sûrs que vous n'avez pas été suivis ? demanda-t-il.

— Aucune chance, répondit Tom.

— Je m'appelle Mark, dit l'homme, un revolver glissé dans la ceinture de son short. Laissez les cartes, les gants et les cagoules à l'intérieur de la bagnole. Je la ferai brûler dans un champ avant le lever du jour.

James descendit de la voiture, fit trois pas hésitants puis s'adossa au mur du garage.

— Comment tu te sens ? demanda Kyle.

— J'ai retrouvé mon souffle, mais ma cheville me fait hyper mal.

— J'ai écouté les communications radio de la police, dit Mark. Votre opération est un succès total. Les dégâts sont estimés à deux millions de livres. Pas un seul véhicule n'en a réchappé.

— J'ai renversé un type, dit Tom. Vous avez entendu quelque chose à ce propos ?

— Tout ce que je sais, c'est que les flics ont appelé une ambulance.

Il tendit aux garçons trois paires de gants jetables.

— Vous devrez les porter jusqu'à ce que vous quittiez la maison. Quand vous rentrerez chez vous, vous détruirez les vêtements et les chaussures que vous portiez pendant la mission.

— Notre mère va nous tuer si on lui dit qu'on a perdu nos baskets, fit observer Kyle en soutenant James jusqu'à la grande cuisine équipée qui jouxtait le garage.

— L'argent n'est pas un problème pour l'ALA, sourit Mark. Je vous donnerai de quoi les remplacer avant votre départ.

— C'est votre maison ? demanda James.

— Non, juste une baraque de location.

Il jeta un œil à sa montre.

— Il serait préférable que vous ne traîniez pas trop dans le coin, mais je sais que la journée a été longue. Si vous voulez prendre une pause avant de repartir, je peux vous préparer des boissons chaudes. Il y a des samoussas et des sandwiches au frigo.

— Je suis un peu inquiet à propos de James. Avec ses égratignures au visage, il sera repéré au premier barrage routier. Il pourrait au moins prendre une douche ?

— C'est une précaution indispensable, approuva Mark. La salle de bains est au premier. Il y a des serviettes propres dans le placard. Je passerai tout à l'eau de Javel avant de partir.

— Je vais t'aider à monter l'escalier, dit Kyle à son coéquipier.

Les deux garçons quittèrent la cuisine.

— Je peux me débrouiller seul, dit James lorsqu'ils furent parvenus au pied de l'escalier.

— Prends une douche vite fait, chuchota Kyle, puis jette un œil aux chambres et examine les affaires de Mark. On tient une chance unique de collecter des infos sur l'ALA avant le déclenchement de la grosse opération.

— Ça marche, mais je me déplace à deux à l'heure, alors fais diversion si Mark ou Tom essayent de monter à l'étage.

.:.

Mark leur remit un document détaillant l'itinéraire de retour vers Corbyn Copse.

Ils prirent place à bord d'une Nissan X-Trail à deux heures trente. L'autoroute était pratiquement déserte. Assis sur le siège passager avant, Tom ne tarda pas à s'endormir. James somnolait sur la banquette arrière.

À bout de forces, Kyle éprouvait les pires difficultés à garder les yeux ouverts. Le défilement ininterrompu des catadioptres alignés au bord de la chaussée exerçait sur son esprit un pouvoir hypnotique. Pour se maintenir éveillé, il reconstitua son emploi du temps scolaire de mémoire, puis énuméra des marques de voitures et des groupes de rock dont le nom commençait par chaque lettre de l'alphabet.

Il avait conscience que conduire dans un tel état lui faisait courir des risques considérables. Le long de la route, il aperçut des hôtels proposant des chambres pour trente-neuf livres, mais il avait la conviction qu'elles étaient occupées par des familles que les embouteillages monstrueux de la journée avaient contraintes à différer leur départ en vacances. En outre, il ne possédait pas de carte de crédit.

Il perdit bel et bien brièvement conscience à deux reprises, effectua de brusques embardées, évita *in extremis* un camping-car et atteignit finalement la station-service de Rigsworth à six heures moins le quart du matin.

— Réveil ! lança-t-il en détachant sa ceinture.

Tom s'étira puis se frotta les yeux.

— Dis-moi que je n'ai pas rêvé, gémit-il. On a foutu un sacré bordel, pas vrai ?

James consulta sa montre.

— T'as roulé comme un dingue !

— Je suis complètement claqué. Comment vont tes blessures de guerre ?

James souleva son T-shirt pour examiner les taches violacées sur sa poitrine.

— Magnifique, dit-il en gonflant le torse. Je crois que je n'ai rien de cassé. Ça ne fait pas si mal que ça.

— Et ta cheville ?

— Elle est un peu enflée. J'en saurai plus dès que j'aurai posé le pied par terre.

Les trois garçons réunirent leurs affaires puis descendirent du véhicule. James prit appui sur le toit et fit quelques pas. La douleur était vive, mais il avait connu bien pire au cours du programme d'entraînement. Cette fois, au moins, personne n'exigeait de lui qu'il franchisse des obstacles sous les insultes d'un instructeur sadique.

— Assurez-vous que vous n'avez rien oublié, dit Kyle.

Les garçons procédèrent à une ultime vérification, claquèrent les portières, puis se dirigèrent vers la station-service. Kyle se tenait près de James, prêt à intervenir au cas où sa cheville flancherait. Tom, tenaillé par un besoin urgent, sprinta vers les toilettes.

Kyle put enfin prononcer la question qui lui brûlait les lèvres depuis cinq heures.

— Alors, t'as trouvé quelque chose dans la maison ?

— J'ai jeté un œil au permis de conduire de Mark. Son vrai nom est Kennet Marcussen. J'ai noté tous les contacts de son répertoire et les numéros de ses cartes de crédit. J'ai tout envoyé par SMS au campus depuis la voiture, pendant que Tom dormait.

Craignant d'être surveillé par l'ALA, Kyle ne manifesta aucun signe extérieur d'enthousiasme. Pourtant, il se réjouissait que le MI5 soit désormais en mesure de poster une équipe d'observation devant la maison de location et de photographier l'activiste chargé de récupérer la Nissan.

— On a fait du bon boulot, sourit Kyle en franchissant les portes automatiques de la station-service.

— Le hic, c'est ce type que Tom a écrasé, fit observer James. Et ces explosions… J'espère que les employés qui se trouvaient près du poste de sécurité n'ont pas été touchés.

— Tu penses vraiment qu'ils auraient été assez cons pour entrer dans le parking après nous avoir vus partir en courant et avoir respiré l'odeur d'essence ?

— J'espère que tu as raison. Sinon, on aura des comptes à rendre, de retour au campus.

Kyle aperçut un couple attablé dans la cafétéria devant des petits déjeuners anglais complets.

— Ça fait drôlement envie, dit-il. Ce qu'il me faut maintenant, c'est un sandwich au bacon et une quinzaine d'heures de sommeil.

••••

Tom déposa James et Kyle à Corbyn Copse à sept heures du matin. Les agents trouvèrent Lauren installée sur le canapé du salon, le regard rivé sur *Sky News*.

— Vous allez bien ? demanda-t-elle. L'Armée de Libération des Animaux fait l'ouverture de tous les flashs info.

James et Kyle étaient impatients d'en savoir davantage.

— Qu'est-ce qu'ils disent ?

— Vous avez détruit cent six véhicules. Deux types ont été victimes d'émanations toxiques. Oh, et il paraît que vous avez roulé sur un type.

— Ça, c'est un coup de Tom, précisa Kyle.

— Il est à l'hosto, dans un état sérieux mais stable. Si vous attendez deux minutes, ils rediffuseront les images de l'incendie. Les équipes de pompiers sont toujours au boulot.

Un bandeau défila en bas de l'écran :

CLYDE WAINWRIGHT, DIRECTEUR DES LABORATOIRES MALAREK AU ROYAUME-UNI, GRIÈVEMENT BLESSÉ LORS D'UN ATTENTAT À LA VOITURE PIÉGÉE AUX ÎLES CANARIES.

— Nom de Dieu ! s'étrangla James.

— Je pensais que vous étiez au courant, dit Lauren. Vous n'aviez pas de radio dans la voiture ?

— Je l'ai allumée deux ou trois fois quand on roulait sur l'autoroute, expliqua Kyle.

— Ça s'est produit quand ? demanda James.

— Il y a environ une heure.

— Ils sont plus ambitieux qu'on ne le pensait, fit remarquer Kyle. On croyait que l'ALA n'était qu'un sous-groupe de la MLA, mais il faut une logistique irréprochable et pas mal de fric pour mener des opérations de cette ampleur de façon presque simultanée.

— Mark m'a filé sans sourciller trois cents livres pour remplacer nos fringues, ajouta James.

Soudain, Ryan Quinn apparut à l'écran. La maquilleuse de *Sky News* lui avait aspergé les cheveux de laque. Il portait une veste et une cravate. James déchiffra l'inscription figurant en bas de l'image pour s'assurer qu'il ne souffrait pas d'hallucinations causées par la fatigue : *Ryan Quinn, fondateur de l'Alliance Zebra.*

— Il l'a mauvaise, gloussa Lauren. La *BBC* devait lui envoyer un chauffeur, mais ils ont préféré interviewer Madeline Laing au dernier moment, alors il joue les bouche-trous sur *Sky News*.

Ryan condamna vigoureusement les actions de l'ALA puis rappela la stratégie non violente préconisée par l'Alliance Zebra pour lutter contre le laboratoire Malarek.

— Salut, les garçons ! lança Zara, tout sourire, en pénétrant dans la pièce. Je suis contente de vous revoir sains et saufs.

— Tu sais si quelqu'un a été blessé pendant l'attaque au napalm ? demanda James.

— Je viens d'avoir le campus au téléphone. Le type qui a été renversé est le seul blessé sérieux. Il a un bras et une hanche fracturés, mais il s'en remettra.

Les deux garçons échangèrent un sourire.

— Le MI5 a lancé une recherche sur Kennet Marcussen, poursuivit Zara. C'est un citoyen danois qui a été impliqué dans plusieurs groupes libérationnistes en Europe dans les années 1980 et au début des années 1990. Il avait disparu de la circulation depuis pas mal de temps, alors la police croyait qu'il était retourné au Danemark pour fonder une famille. Il a notamment fait partie d'une organisation dissoute, Action Radicale Animale, un groupuscule bénéficiant d'importants moyens financiers. Presque tous ses membres étaient des femmes vivant dans une communauté près de Birmingham.

— Des femmes, comme à l'ALA, dit James, l'air

songeur. Est-ce qu'on a une liste des membres d'Action Radicale ?

— La plupart sont fichés au MI5, mais il nous faut un peu de temps pour étudier leur profil en détail. On va envoyer une équipe pour surveiller Marcussen avant qu'il ne quitte la maison de Wrexham. Mais on doit procéder en douceur. S'il soupçonne quoi que ce soit, votre couverture risque d'exploser. On va également faire le tour des carrossiers de la région. Il ne doit pas y avoir beaucoup de sociétés capables de repeindre un van, de placer des logos et de souder un cylindre pressurisé à l'arrière en moins de trois jours.

— Bon, ben je crois que je vais aller dormir quelques heures si tu n'as plus besoin de moi, dit Kyle en bâillant à s'en décrocher la mâchoire.

— Bien sûr. Les textos de James étaient assez précis. J'ai déjà une bonne base de travail.

— Je peux y aller, moi aussi ? demanda James en bâillant à son tour.

— Pas tout de suite, répliqua fermement Zara. Tu t'es pris un violent coup de pied dans le torse. Je veux que tu sois examiné par un médecin.

— Je vais bien, je t'assure. Je préfère mourir que de passer six heures aux urgences.

— Et moi, tu crois que ça m'amuse ? Il est possible que tu aies une côte cassée. Je veux que tu passes une radio le plus vite possible. Fin de la discussion.

...

Kyle se sentait un peu désolé pour James, mais il se réjouissait de pouvoir dormir sans avoir à supporter les grincements de son sommier et le désagréable sifflement de sa narine gauche.

Il s'endormit comme une masse et rêva d'autoroutes jusqu'à ce que Lauren vienne le réveiller.

— Ton téléphone, dit-elle en se hissant sur la pointe des pieds pour lui tendre l'appareil. Numéro inconnu. Il faut que tu répondes.

— Allô, bredouilla Kyle.

La voix familière de Jo le tira de sa torpeur.

— Vous avez fait des étincelles, la nuit dernière. Bienvenue à l'Armée de Libération des Animaux.

— Merci. On a fait de notre mieux.

— J'ai essayé de joindre James, mais son portable est éteint.

— Ouais, notre mère l'a emmené aux urgences. Les mobiles sont interdits dans les hôpitaux.

— Tu penses qu'elle se doute de quelque chose ?

— Non. James n'arrête pas de faire des conneries. On lui a dit qu'on avait passé la nuit chez Tom et Viv, et qu'il était tombé dans l'escalier.

— Alors, vous êtes prêts à passer à l'étape suivante ?

— Prêts, lâcha Kyle.

Il savait que la femme n'allait pas lui livrer les détails de l'opération, mais il estimait que le travail effectué la veille justifiait qu'il la questionne.

— Il y a quand même un problème. Moi, ma mère me laisser aller et venir librement. Mais James n'a que quatorze ans, et elle le tient à l'œil. Il faudrait qu'on sache quel jour on passera à l'action, histoire de préparer une excuse, surtout si on doit rester plusieurs jours loin de la maison.

Kyle s'attendait à essuyer un refus, mais la femme réfléchit quelques secondes avant de répliquer sur un ton amical :

— On viendra vous chercher mercredi après-midi. Ça te va ?

— Parfait. Je vais commencer à préparer ma mère. Je vais lui dire qu'on a prévu de passer la soirée chez un pote, ou un truc comme ça.

— Je vous appellerai mardi soir pour vous indiquer quel matériel emporter et vous fixer un point de rendez-vous.

— Parfait, j'attends de vos nouvelles.

Kyle referma le portable puis le tendit à Lauren.

— Tu peux me rendre un service ? Appelle le campus et dis-leur que l'opération de l'ALA aura lieu entre mercredi et vendredi.

— OK, dit Lauren. Tu sais, j'ai beau me creuser la cervelle, je n'ai aucune idée de ce qu'ils préparent. Si les trois actions menées cette nuit n'étaient qu'un échauffement, j'ai hâte de découvrir ce qu'ils ont en tête. Et un peu la trouille, il faut bien l'avouer.

28. Piccadilly Circus

Le mardi, les agents se rendirent à Londres en compagnie de Zara.

Pendant que la jeune femme jouait sa carrière devant le Premier Ministre en personne, ils traînèrent durant des heures dans Oxford Street. Kyle acheta deux CD qu'il recherchait depuis des années ; James s'offrit la dernière version de FIFA pour PlayStation 2 ; Lauren fit l'acquisition de deux T-shirts et de divers objets en caoutchouc destinés à la collection de jouets de Boulette.

À midi, ils se présentèrent au restaurant chic de Piccadilly où Mac et Zara leur avaient donné rendez-vous. Un serveur leur remit un message les informant que ces derniers étaient retenus à déjeuner par le Premier Ministre.

Les trois jeunes gens furent conduits jusqu'à une table isolée, sous le regard étonné des riches hommes d'affaires qui fréquentaient l'établissement. Ils s'installèrent près d'une baie vitrée d'où ils pouvaient observer le flot ininterrompu des touristes, huit étages plus bas.

— Heureusement que Mac nous offre le déjeuner, murmura James en consultant le menu où ne figurait aucun plat à moins de vingt et une livres.

Les garçons, qui rêvaient depuis des semaines d'assouvir leurs instincts carnivores, commandèrent une côte de bœuf et des pommes frites. Lauren porta son choix sur des légumes grillés nappés d'une sauce au beurre de cacahuètes.

— Tu as vraiment l'intention de devenir végétarienne ? demanda son frère. Tu finiras grise et squelettique, comme tous ces bouffeurs de salade !

— Ferme-la et mâche ta vache morte ! répliqua la jeune fille.

— Eh ! vous n'allez pas commencer, protesta Kyle. J'aimerais bien pouvoir profiter de ce jour de congé. Vous ne voulez pas changer de sujet ?

— OK… dit Lauren. Alors, James, comment vont tes blessures ?

Il haussa les épaules.

— Je me sens un peu raide, c'est tout. On a passé huit heures aux urgences, tout ça pour un flacon d'analgésiques qu'on aurait pu acheter au drugstore de Corbyn Copse.

— Au moins comme ça, tu es tranquille.

— Mais j'étais pas inquiet ! objecta James en observant un pigeon posé sur le rebord de la fenêtre.

— Je me demande comment s'en sort Zara, dit Kyle. Ça doit être intimidant de rencontrer quelqu'un d'aussi important. Surtout pour un entretien professionnel.

— Je l'ai entendue vomir aux toilettes, ce matin.

— Si ça se trouve, elle est de nouveau enceinte, gloussa Lauren en croquant dans un morceau de navet braisé.

— Moi, c'est pareil, dit Kyle. À chaque fois que j'ai le trac, mon système digestif part en sucette.

James éclata de rire.

— C'est formidable ! On déjeune dans un super restau de Londres, on commande pour une centaine de livres de nourriture et de boissons, et vous, vous ne parlez que de problèmes de digestion !

Kyle et Lauren échangèrent un sourire embarrassé.

— Vous savez quoi ? dit cette dernière. Je regrette de ne pas avoir acheté ce pantalon camouflage. Vous pensez qu'on aura le temps de retourner au magasin ?

— Certainement pas, répondit James. On commence à te connaître. C'est à une demi-heure de marche d'ici, et tu es capable de changer encore une fois d'avis.

— Je ne ferais jamais une chose pareille, répliqua la jeune fille, un sourire malicieux sur les lèvres.

— En plus, une sœur végétarienne déguisée en plante verte, ça ferait un peu beaucoup.

— Si tu continues à me chercher, je me reteins les cheveux en noir !

— Personnellement, je te trouvais très jolie en brune, dit Mac.

Les trois agents, tournés vers la fenêtre, n'avaient pas vu le directeur de CHERUB et leur contrôleuse de mission entrer dans le restaurant.

— Souhaitez-vous déjeuner ? demanda le serveur aux nouveaux venus.

— Nous allons attendre que les enfants aient terminé leurs plats, dit Zara. Pourrions-nous avoir la carte des desserts ?

Le jeune homme hocha la tête puis s'éloigna.

— Alors ? chuchota Lauren.

— On dirait que c'est pas trop mal parti, dit Zara, le visage illuminé d'un large sourire.

— Hier, j'ai assisté à l'audition de Geoff Cox, et c'était plutôt formel, expliqua Mac. Il a surtout parlé de politique éducative, sans insister sur son expérience dans le renseignement. La prestation de Zara était radicalement différente. Le Premier Ministre a accroché dès qu'elle a commencé à entrer dans les détails de la mission, notamment lorsqu'elle lui a raconté que deux de ses agents avaient infiltré l'ALA avant que quiconque n'en ait seulement entendu parler. Il lui a même posé des questions sur sa famille et a exigé de voir des photos de Tiffany et de Joshua. Bref, je suis extrêmement confiant.

— Génial, sourit James. Zara, souviens-toi qu'on est amis, tous les deux, quand tu distribueras les punitions.

— Pas de traitement de faveur, dit la femme en secouant la tête. D'ailleurs, je t'ai déjà à l'œil. Mais bon, rien n'est fait, je vous le rappelle. Ne comptez pas sur moi pour sabler le champagne avant d'avoir reçu la lettre de confirmation.

Le serveur posa cinq menus sur la table. James, qui

n'était toujours pas venu à bout de sa côte de bœuf, consulta le sien d'un œil gourmand.

— Gâteau au chocolat, compote d'orange sanguine. Il faut que j'essaye ça.

— Alors, les garçons, vous êtes prêts pour demain ? demanda Mac. Je suivrai votre opération en direct.

— Ainsi que le Premier Ministre, ajouta Zara. Il a demandé aux services secrets de lui adresser des comptes rendus réguliers.

Lauren vit les traits de son frère se décomposer.

— Oh ! ne me dis pas que tu as la pression, un grand garçon comme toi ? ricana-t-elle.

— Pourquoi on s'inquiéterait ? répliqua Kyle. Tout ce qu'on a à faire, c'est de se laisser conduire vers un endroit inconnu, de saboter un plan dont on ignore tout et de démanteler un groupe de terroristes fanatiques, surarmés et pleins aux as.

29. À visage découvert

Jo contacta Kyle le mardi soir pour l'informer des dernières directives. Les garçons reçurent l'ordre de régler leur montre avec précision, de porter des vêtements ordinaires et de se munir chacun d'un sac à dos contenant un change, une serviette et quelques articles de toilette. Elle leur conseilla de se munir d'un roman ou d'un magazine afin de passer le temps pendant le *long voyage* qui les attendait. Téléphones portables, iPods et autres gadgets électroniques susceptibles de dissimuler des micros espions étaient formellement interdits.

Le lendemain, en fin de matinée, ils se présentèrent à la grange abandonnée où ils avaient rencontré les activistes de l'Alliance pour la première fois, un mois plus tôt, à l'occasion des actes de vandalisme perpétrés sur les véhicules de police. La MG de Tom était garée devant le bâtiment délabré.

Les deux frères patientaient à l'arrière, assis sur le rebord d'un abreuvoir rouillé.

Kyle et Tom échangèrent un baiser. Viv adressa à James une grande claque dans le dos en signe d'affection.

— Eh ! ça fait un bail, tueur de flics ! lança-t-il avant de jeter un coup d'œil oblique aux deux garçons qui se bécotaient. Je sais ce que tu penses. C'est dégueulasse. Mais faut voir le bon côté des choses : ils ne risquent pas de nous piquer nos copines.

James éclata de rire.

— Et toi, tu vas mieux ?

— Je suis complètement guéri. J'ai les boules de ne pas avoir pu faire la fête avec vous, lundi. Tom m'a dit que c'était génial.

— Ça, on s'est pas ennuyés, sourit James.

Un coup de klaxon retentit devant la grange. Les garçons contournèrent le bâtiment et découvrirent un camion garé dans l'allée menant à la route. Deux femmes portant des lunettes de soleil descendirent du véhicule. La plus âgée était en pantalon de treillis. Une bosse au niveau de la taille trahissait la présence d'une arme de poing.

— Salut, les garçons, dit-elle. Vous connaissez la procédure. Entrez dans la grange et retirez vos vêtements.

James reconnut immédiatement le timbre et les intonations de celle qui se faisait appeler Jo.

L'autre femme avait une vingtaine d'années. Elle était jolie, avec ses cheveux longs et ses joues roses. Du point de vue de James, c'était le prototype de la fille de province qui se marie jeune et pond une douzaine de lardons.

···

« Adélaïde Kent », pensa Lauren.

La surprise était telle que sa caméra miniaturisée faillit lui échapper des mains. Elle était embusquée dans les buissons à une vingtaine de mètres de la grange. Elle n'était pas strictement invisible de l'extérieur, mais seul un observateur particulièrement attentif aurait pu détecter sa présence. Au pire, si elle se faisait prendre, elle n'aurait qu'à glisser l'appareil dans ses sous-vêtements et jouer la petite fille un peu trop curieuse.

Tom, Viv et les deux femmes pénétrèrent dans le bâtiment. Lauren rampa parmi les taillis de façon à se positionner dans l'axe du camion, afin de pouvoir filmer le compartiment arrière lorsque les portes seraient ouvertes.

Elle posa la caméra dans l'herbe, jeta un œil à l'écran de contrôle pour vérifier l'angle de vue puis regagna sa cachette.

Deux minutes plus tard, les quatre complices sortirent de la grange et se dirigèrent vers le véhicule. Lauren sortit une télécommande de sa poche et enfonça le bouton *REC*.

···

— Vous avez fait des efforts depuis la dernière fois, plaisanta James en découvrant les coussins et les poufs entassés à l'arrière.

Le camion était un ancien fourgon de transport de

fonds dont la trappe de sécurité, située au plafond, avait été transformée en toit ouvrant afin de laisser passer l'air et la lumière.

Un garçon d'une vingtaine d'années se trouvait déjà à bord.

— Salut. Moi, c'est Jay.

James, Tom, Viv et Kyle lui serrèrent la main l'un après l'autre puis s'installèrent aussi confortablement que possible.

Le garçon glissa l'album blanc des Beatles dans une minichaîne à piles. Le véhicule se mit en mouvement.

— J'espère que vous aimez, dit-il. Je me suis bagarré pour qu'on puisse avoir un peu de musique pendant le voyage. Je leur ai dit qu'il était hors de question que je passe quatre heures à me tourner les pouces.

— Tu as bien fait, approuva Kyle. En plus, il fait trop sombre pour lire.

James, allongé sur une couchette constituée de coussins, éprouvait un sentiment étrange : il ignorait tout de l'action terroriste à laquelle il allait être mêlé au cours des quarante-huit heures à venir, ce qui n'avait rien de très rassurant, mais ses compagnons s'étaient mis à bavarder avec animation, comme des jeunes gens ordinaires partant à l'aventure.

Les rayons du soleil frappaient impitoyablement le toit de tôle. L'atmosphère devint vite irrespirable. Lorsque le fourgon atteignit l'autoroute, les quatre complices rassemblés à l'arrière avaient imité Jay et retiré short et T-shirt.

Une fois que le véhicule eut quitté son champ de vision, Lauren courut à travers champs en direction du cottage. Elle trouva Zara assise à la table de la cuisine devant son ordinateur portable.

— Qu'est-ce que tu as obtenu ?

— J'ai plein d'images, répondit la jeune fille. Coup de bol, j'ai reconnu l'une des nanas de l'ALA : il s'agit d'Adélaïde Kent, une des participantes de l'opération beagles. J'en reviens pas. Elle avait l'air tellement sympa avec ses petites sœurs et avec les chiots.

— Tu devrais commencer à savoir qu'on ne peut pas juger les gens aussi rapidement.

Zara connecta l'ordinateur à la caméra, copia les données sur son disque dur puis double-cliqua sur l'icône du clip enregistré aux abords de la grange.

— Je me demande si on voit quelque chose à l'intérieur du fourgon.

Une fenêtre Windows Media Player s'ouvrit, puis l'image d'un jeune homme étendu parmi des coussins à l'arrière du fourgon apparut à l'écran.

— C'est Jay, dit Lauren. Le copain d'Adélaïde.

— Tu te rappelles de son nom de famille ?

— Buckle.

— Bravo, ma chérie. Quelle mémoire…

Ryan, vêtu d'un pyjama rayé, entra dans la cuisine. Déprimé par l'échec de sa campagne pour redevenir le leader de l'Alliance Zebra, il avait pris l'habitude de rester au lit jusqu'à midi, puis de traîner sans but dans la maison.

— Je vous ai entendues parler de Jay et d'Adélaïde, dit-il en sortant un brick de jus d'orange du réfrigérateur.

— Ne bois pas au goulot ! protesta Lauren. Je te jure, des fois, tu es pire que James.

Ryan lui adressa un sourire en saisissant un verre dans l'égouttoir.

— Lauren a suivi James et Kyle jusqu'à leur point de rendez-vous, expliqua Zara. Elle a formellement identifié Adélaïde.

— Tu te fous de moi ? s'exclama l'homme, sidéré.

La contrôleuse de mission tapota l'écran de la pointe de son stylo.

— Vérifie par toi-même, si tu ne me crois pas.

— Putain ! Quand je pense que je suis son parrain… s'étrangla Ryan. Quelle idiote ! Est-ce que vous savez où ils se dirigent ?

— Aucune idée, répondit Lauren. Tu crois qu'Anna et Miranda sont membres de l'ALA, elles aussi ?

— Je ne sais plus quoi penser, maintenant. Je n'aurais jamais imaginé qu'Adélaïde et Jay étaient impliqués. Lui, son rêve, c'est de bosser dans le cinéma. La dernière fois que je l'ai rencontré, il m'a annoncé qu'il avait décroché un job sur le tournage d'un film d'action, une histoire de poursuites automobiles, je crois.

— Hein ? s'étrangla Lauren. Où est-ce qu'ils tournent ?

— Il ne m'a pas donné de détails, mais il n'a pas parlé de déménagement, alors je parierais sur ce grand studio, près de Bath.

— Où est-ce que tu veux en venir, Lauren ? demanda Zara.

— Pour ce genre de films à cascades, ils doivent avoir un atelier spécial pour réparer, modifier et repeindre les bagnoles. C'était l'endroit idéal pour maquiller et trafiquer le van Rapid Trak.

— J'avoue que cette théorie tient debout, dit Zara.

Elle ouvrit une nouvelle fenêtre de recherche Google puis tapa *Bath*, *studio* et *tournage*.

— J'ai ! s'exclama-t-elle. Écoutez ça : *Wild Ride II, le second volet du succès surprise de l'été 2004, est actuellement en tournage aux studios Walker, près de Bath. Cette fois, le gang s'attaque à la Tour de Londres et aux fameux joyaux de la couronne à bord de vieilles voitures de course...*

— Ça vaut sans doute le coup de vérifier.

Zara saisit son téléphone sur la table de la cuisine.

— Je vais charger un assistant du campus de suivre cette piste. Lauren, tu es un génie !

30. Invité spécial

Le voyage était interminable. Les cinq garçons écoutaient les CD de Jay en refaisant le monde. Accablés de chaleur, ils engloutissaient des litres de Coca et d'eau minérale. Jo avait prévu un arrêt en pleine campagne, à mi-trajet, pour leur permettre de soulager leur vessie. Les heures passant, il apparut clairement que cette halte était insuffisante.

Viv, n'y tenant plus, urina dans une bouteille d'Évian vide et la jeta par le toit ouvrant. James, qui voyait là un moyen de tuer l'ennui, ne put résister à la tentation de l'imiter. Quelques secondes plus tard, le fourgon freina si brusquement que tous les occupants du compartiment furent projetés vers l'avant.

— Quel est le crétin qui a fait ça ? hurla Jo en ouvrant les portes arrière.

James leva timidement la main.

— Mais qu'est-ce que tu as dans le citron ? On ne part pas en colonie de vacances, espèce de merdeux. Qu'est-ce qui se serait passé si cette bouteille avait atterri sur une bagnole ? Tu veux vraiment que notre plaque d'immatriculation soit communiquée aux flics ?

— Eh ! toi, tu lui parles autrement, OK ? gronda Viv. C'est moi qui ai commencé. Vous êtes bien peinardes à l'avant, avec l'air conditionné. C'est un vrai four, ici. On a bu des litres de flotte. Il nous faut un deuxième arrêt.

Jo sortit son revolver de sa ceinture et le pointa sur la tête de son interlocuteur.

— Je ne t'ai jamais empêché de pisser dans une bouteille, pauvre abruti. Je t'interdis de la balancer par la fenêtre. C'est trop compliqué pour toi ?

— Attends, t'es malade ou quoi ? Tu vas quand même pas me buter pour ça ?

À l'évidence, Jo n'avait pas l'habitude qu'on lui parle sur ce ton. Elle grimpa à l'intérieur du compartiment, ôta le cran de sûreté de son arme et posa le canon sur le front de Viv.

— Si tu fous l'opération en l'air, je n'hésiterai pas à repeindre les murs avec ta cervelle.

— Eh ! tout le monde se calme, lança Kyle en levant les mains. On a tous chaud, on en a tous marre. C'est juste un malentendu, d'accord ?

— On fait partie d'une équipe, ajouta Tom.

— Je t'ai à l'œil, Viv, lança Jo avant de rengainer son revolver.

— Il y a un tas de nanas qui ont un œil sur moi, ricana Viv. Fais la queue comme tout le monde.

Jo secoua la tête avec mépris, descendit du fourgon puis claqua les portes aussi fort que possible.

Tom jeta un regard noir à son frère.

— Quand est-ce que tu vas comprendre que ces gens ne plaisantent pas ? chuchota-t-il. Tu ne peux pas la fermer, pour une fois ?

En vérité, Viv n'était pas particulièrement fier de son comportement.

— Ça va, parle-moi sur un autre ton, marmonna-t-il, le rouge aux joues. Je ne suis pas un gamin.

∴

Boulette, qui avait enfin reçu l'autorisation de sortir dans le jardin, léchait des fourmis sur un tronc d'arbre. Étendue sur une chaise longue, Lauren était plongée dans la lecture d'un guide intitulé *J'élève mon beagle*. Zara, qui venait de passer vingt minutes au téléphone, s'approcha d'elle.

— Alors, quelles sont les nouvelles ?

— Le MI5 a étudié ta vidéo. Ils ont identifié Jo. Elle s'appelle Rhiannon Jules. Tiens-toi bien, c'est la fille de Joe Jules.

Zara constata que ce nom n'éveillait strictement rien dans l'esprit de son agent.

— Bon, ce n'est pas vraiment ta génération, sourit-elle. Joe Jules était un célèbre auteur-compositeur-interprète américain. Il a été abattu par la police de Los Angeles au cours d'une opération de saisie de cocaïne en 1982. Rhiannon est sa seule héritière. Comme ses albums se vendent toujours très bien, elle doit être pleine aux as.

— C'est grâce aux droits d'auteur qu'elle finance l'ALA ?

— Sans aucun doute, confirma Zara. Tu te souviens d'Action Radicale ?

Lauren s'accorda quelques secondes de réflexion.

— Le groupe de Kennet Marcussen dans les années quatre-vingt ?

— Exactement. La plupart de ses membres étaient des femmes qui vivaient en communauté. Notre assistant de recherche a découvert qu'elles étaient hébergées dans une grande maison de campagne appartenant à un chanteur américain…

— Joe Jules, sourit Lauren.

— Comment tu as deviné ?

Boulette lécha le pied de la jeune fille.

— Eh ! ça chatouille ! gloussa-t-elle en le repoussant doucement. Des nouvelles du studio de cinéma ?

— Absolument. Tu avais vu juste. Jay Buckle figure dans les fichiers de la police. Il a été arrêté deux fois au cours de manifestations en faveur des droits des animaux. À chaque fois, il se trouvait en compagnie d'Adélaïde Kent. Il y a deux semaines, il a été interpellé sur le plateau de *Wild Ride II* et interrogé à propos d'un Volkswagen Transporter volé quelques jours plus tôt. La police l'a relâché faute de preuves. Le véhicule contenait pour trois cent mille livres en caméras, projecteurs et matériel de prise de son. Mais ce n'est pas tout. La production a également signalé la disparition d'un énorme stock de peinture pour carrosserie et d'un cylindre pressurisé utilisé lors des cascades automobiles.

— Honnêtement, je suis plutôt fière de moi.

— Tu peux l'être. On a déjà assez d'éléments pour procéder à des arrestations. Le problème, c'est que James, Kyle et nos suspects se dirigent en ce moment même vers un lieu inconnu, et qu'ils ne referont pas surface avant d'avoir mené je ne sais quelle action terroriste spectaculaire.

— Je me demande ce qu'ils ont l'intention de faire de tout ce matériel vidéo... murmura Lauren.

•••

Le fourgon s'arrêta devant une vaste ferme perdue en pleine campagne. Le bâtiment disposait d'une douzaine de pièces réparties sur deux étages. Les garçons déposèrent leurs sacs dans une chambre au sol jonché d'oreillers et de sacs de couchage, puis descendirent à la cuisine où deux hommes préparaient un rôti végétalien pour douze.

Adélaïde et Jay demandèrent à Viv de l'accompagner jusqu'à une pièce voisine. James, Kyle et Tom décidèrent de se promener aux abords du bâtiment.

— On est au bout du monde, dit Kyle.

Le soleil se couchait derrière des collines tapissées de bruyère. Au loin se dressaient de hauts pics rocheux.

— Ça a de la gueule, dit James. On serait pas en Écosse ?

— Je pencherais plutôt pour le nord de l'Angleterre, le Northumberland, un coin dans ce genre-là.

James se tourna vers la maison et vit Mark qui courait maladroitement dans leur direction en agitant les bras.

— Rappliquez en vitesse ! cria-t-il. Tout le monde vous attend.

Il les conduisit jusqu'à une vaste salle au plafond voûté. Les murs étaient maculés de taches rectangulaires laissées par les cadres qui y avaient été suspendus autrefois. L'une des extrémités de la pièce avait été transformée en studio de télé équipé de caméras mobiles, de puissants projecteurs et d'une table de régie.

Devant un panneau bleu ciel, de luxueux fauteuils encadraient une grande cage munie de barreaux chromés, un accessoire conçu davantage pour impressionner le public que pour assurer un haut niveau de sécurité. Un collier relié à une chaîne traînait sur le sol.

Viv, vêtu d'un costume de marque, vint à la rencontre des trois garçons.

— C'est la première fois que je te vois porter une cravate, s'étonna Tom. Vous vous êtes réconciliés, Jo et toi ? Vous avez décidé de vous marier ?

— La classe, n'est-ce pas ? dit Viv. Je viens de réussir mon audition. C'est moi qui vais présenter l'émission.

— Quelle émission ? demanda Kyle.

Jo, qui se tenait devant un *paperboard* à l'autre extrémité de la salle, frappa dans ses mains pour attirer l'attention des activistes. James dénombra onze militants. Le silence se fit.

— Très bien, dit la femme. Merci à tous d'être venus. Je demande pardon à ceux d'entre vous qui ont été obligés de voyager dans des conditions indignes, mais cette opération exigeait le secret absolu. Je vous rappelle que vous ne devez en aucun cas dévoiler votre identité réelle aux camarades que vous rencontrez pour la première fois. Les premières actions réalisées par notre mouvement ont été couronnées de succès. Clyde Wainwright se trouve toujours dans un état critique, et il ne pourra probablement jamais reprendre son poste chez Malarek.

Quelques applaudissements saluèrent cette annonce.

— Le problème, poursuivit Jo, c'est que les médias ont à peine évoqué ces attaques. Le public n'éprouve plus aucun intérêt pour les politiciens et les hommes d'affaires. De nos jours, seules les célébrités suscitent leur intérêt et leur sympathie. Dans moins de douze heures, nous aurons le plaisir d'accueillir dans cette cage un invité de marque. Nous lui offrirons notre antenne.

Jo marqua une pause pour ménager le suspense. Elle jubilait.

— Pendant une journée entière, nous allons mener l'action la plus médiatique jamais entreprise au nom du mouvement libérationniste.

Sur ces mots, elle détacha d'un coup sec la première page du *paperboard*, dévoilant la photo format A3 d'un homme que chaque membre de l'assistance reconnut aussitôt.

— Chers camarades, lança-t-elle, je vous présente notre invité, le pape de la gastronomie à la télévision, Nick Cobb !

31. Le monde selon Cobb

Nick Cobb jeta un regard circulaire à la loge exiguë, au canapé rose tout droit sorti des années 1980, à la moquette élimée et maculée de taches. Puis il observa son reflet dans le miroir et estima qu'il n'avait pas mieux vieilli que le mobilier.

Il se souvenait avec précision de son premier tournage aux studios Tyneside. Il n'était alors qu'un jeune chroniqueur gastronomique engagé à l'essai dans un talk-show depuis longtemps rayé des grilles de programmes.

De l'eau avait coulé sous les ponts. Il possédait désormais huit restaurants. Il avait rédigé onze best-sellers. Son émission consacrée à la cuisine était la plus ancienne des États-Unis. Il était le principal actionnaire de la chaîne *Gourmet Network*.

Cobb se tourna vers le bar puis, constatant qu'il n'était que dix heures, réprima une violente envie de s'envoyer un shot de vodka. Amanda, son agent, frappa à la porte et entra dans la pièce sans attendre d'y être invitée.

Il s'apprêtait à lui demander sans ménagement

pourquoi elle avait accepté un engagement dans ce trou minable lorsqu'il aperçut la jeune fille en chaise roulante immobile dans l'encadrement de la porte, accompagnée de sa mère. Elle n'avait pas plus de treize ans. Ses bras et ses jambes étaient couverts de broches. Cobb se souvenait vaguement avoir entendu Amanda lui raconter une sinistre histoire d'enfant malade. À présent, il regrettait d'avoir eu la faiblesse d'inviter sa groupie dans sa loge.

— Bonjour, bonjour ! lança-t-il, soudain charmeur, avec un léger accent californien. Tu dois être… Gaynor, c'est bien cela ?

Cette dernière sourit puis gargouilla quelques paroles inintelligibles. Cobb remarqua le tube flexible qui sortait de sa gorge.

— Elle vous a préparé des madeleines, dit la mère en posant un Tupperware sur les genoux de sa fille.

Gaynor, qui se trouvait dans un état de faiblesse extrême, mit une trentaine de secondes à ôter le couvercle.

— Amanda, peux-tu nous préparer un peu de thé ? demanda Cobb, embarrassé par le silence pesant qui s'était installé dans la pièce. Dans des tasses blanches et propres, si ça ne te fait rien.

Il regretta aussitôt d'avoir prononcé cette exigence devant des inconnus. D'ordinaire, il prenait soin de dissimuler sa véritable personnalité, celle d'un homme blasé, arrogant et tyrannique.

Cobb prit une madeleine entre le pouce et l'index puis la porta à sa bouche, s'attendant au pire.

— Absolument délicieux ! s'exclama-t-il, visiblement enchanté.

Il ne mentait pas. La madeleine était parfaite : gonflée sans être sèche, avec juste assez de vanille pour atténuer la fadeur de la pâte. Mais son compliment achevé, il resta muet, incapable d'alimenter la conversation.

Il avait vu défiler des centaines d'enfants agonisants au cours de sa carrière, mais la sensation de malaise qu'il éprouvait en leur présence n'avait pas changé. Qu'attendaient-ils de lui ? Quels mots était-il censé prononcer ? *Salut, gamin ! Comment va ton cancer ? Toujours incurable ?* Parler de la pluie et du beau temps alors que la mort rôdait lui était insupportable. À ses yeux, cet exercice revenait à nager la brasse dans une piscine en feignant d'ignorer la présence d'un alligator.

— Alors, tu es venue en voiture ? demanda-t-il en prenant une autre madeleine. Il n'y avait pas trop d'embouteillages ?

Il consulta sa montre Patek à $ 16 000 et pria pour qu'Amanda, une experte dans l'art de parler pour ne rien dire, le rejoigne sans plus tarder.

• • •

Entortillé dans un duvet étalé à même le plancher, James passa une nuit agitée. À cinq heures du matin, Kyle l'aida à se teindre les cheveux en châtain puis à les dresser sur le sommet de son crâne à l'aide de gel extrafort, tout en évaluant leurs chances de neutraliser les membres de l'ALA avant qu'ils ne passent à l'action. Ils se trouvaient face à onze adversaires, dont certains étaient armés ; ils n'avaient aucune idée de l'endroit où ils se trouvaient et ne disposaient pas de moyen de communication. De toute évidence, ils étaient condamnés à participer à l'opération en espérant que se présente une occasion de l'interrompre sans provoquer de dégâts collatéraux.

•:•

Les projecteurs du studio de télévision dégageaient une chaleur accablante. James, Mark et Adélaïde étaient assis au premier rang du public.

L'ALA avait pris toutes les précautions nécessaires pour les rendre méconnaissables. James avait revêtu la tenue du parfait petit punk : rangers sales, jean slim déchiré aux genoux et sweat à capuche noir au dos duquel figurait l'inscription *THE RAMONES*. Mark et Adélaïde portaient des déguisements similaires.

Nick Cobb était installé dans un élégant canapé bleu. Wendy et Otis Fox, les présentateurs, le bombardaient de questions préparées à l'avance. James était fasciné par l'épaisse couche de maquillage étalée sur leur visage. Le public surexcité applaudissait à tout rompre les réponses les plus banales de l'invité.

— Alors Nick, lança Wendy Fox, qu'est-ce qui vous a poussé à entreprendre l'écriture de cette énorme biographie ? Huit cent cinquante-six pages, je le rappelle à nos téléspectateurs.

Nick sourit.

— Les éditeurs me supplient depuis plusieurs années, mais ce n'est que lorsque j'ai rencontré Penny Marshall, la jeune femme talentueuse qui m'a aidé à rédiger mes souvenirs, que j'ai décidé de me lancer.

— Et le résultat est absolument *fascinant* ! J'ai cru comprendre que les bénéfices des ventes de ce livre seraient reversés à des œuvres de charité ?

— Tout à fait. Les droits d'auteur du *Monde selon Cobb* iront à Oxfam, à la Croix-Rouge et à Chef's Trust, une association locale qui gère un internat destiné aux jeunes déshérités.

James consulta sa montre : 11 heures 54. Il chaussa une paire de lunettes de soleil, rabattit sa capuche et en serra le cordon. Mark et Adélaïde brandirent les armes de poing dissimulées sous leurs vestes.

— Personne ne bouge ! cria la jeune femme en bondissant de son siège.

Les spectateurs restèrent pétrifiés. S'agissait-il d'une blague de mauvais goût ? Mark dissipa leurs doutes en tirant au plafond.

La balle atteignit un projecteur fixé à l'une des rampes qui surplombaient la scène. Des fragments de verre brûlant s'abattirent en pluie sur une partie du public. Des hurlements retentirent. James et Adélaïde profitèrent de l'affolement général pour se ruer sur le plateau.

— J'ai besoin de votre micro-cravate, gronda cette dernière en braquant son arme sur Wendy Cox.

James arracha le petit dispositif de la veste de la femme et le fixa au bomber d'Adélaïde.

— Je suis désolée d'interrompre cette émission, dit-elle d'une voix mal assurée, mais l'Armée de Libération des Animaux ne tolérera pas que des hommes comme Nick Cobb puissent bâtir des fortunes en torturant des animaux ou en les réduisant en esclavage.

Sur ces mots, elle déroula une bannière où figurait l'adresse du site Internet de l'ALA. James se dirigea vers Nick Cobb et sortit une paire de menottes de la poche arrière de son jean.

— Tendez-moi vos poignets.

Cobb, qui ne mesurait pas la gravité de la situation, lui adressa un sourire stupide. Au même moment, Otis Fox se jeta maladroitement sur James. De toute évidence, cet homme n'avait pas pratiqué d'autre sport que le golf depuis plusieurs dizaines d'années. James esquiva la charge, serra les doigts autour des menottes et frappa le présentateur sur l'arête du nez.

Wendy Fox poussa un hurlement déchirant. Otis s'affala au pied du sofa, le visage en sang.

— Si qui que ce soit retente une cascade dans ce genre, j'exécuterai une personne dans le public ! hurla Mark en pointant son revolver sur la chaise roulante de Gaynor placée au premier rang.

Le public restait étrangement calme. On n'entendait que les gémissements d'une femme qui avait été brûlée par les éclats de verre.

Cobb tendit les mains. James lui passa les menottes

sanglantes. Mark braqua son arme sur le caméraman posté près de la sortie de secours.

— Toi, ouvre la porte !

L'homme obéit. La lumière naturelle inonda le studio.

— Après vous, dit James en poussant Nick Cobb dans le dos.

Les membres du commando et leur otage rejoignirent le parking où étaient garées deux énormes motos Honda. Il bruinait.

Adélaïde souleva sa selle, en sortit deux casques et plaça l'un d'eux sur la tête de Cobb.

— Je ne peux pas tirer et conduire en même temps, dit Mark en tendant son revolver à James. Fais gaffe, j'ai enlevé le cran de sûreté.

À sa grande surprise, James se trouvait soudainement en mesure de libérer l'otage, mais cette action précipitée aurait compromis l'arrestation des autres membres de l'ALA et mis en jeu la sécurité de Kyle.

— Et comment je vais faire pour tenir en selle ? demanda Cobb en agitant ses menottes.

Adélaïde réalisa que ce détail n'avait pas été pris en compte lors de l'élaboration de l'opération. Elle tira une petite clé de la poche de son jean et libéra les poignets de son prisonnier.

— Si tu joues au malin, ce garçon te tuera, dit-elle en hochant la tête en direction de James.

En bouclant la jugulaire de son casque, ce dernier remarqua que deux employés du studio s'étaient courageusement aventurés au premier étage de l'escalier de secours. L'un d'eux filmait la scène avec un caméscope. James braqua brièvement son arme dans leur direction, se hissa sur la selle puis croisa les bras autour de la taille de Mark.

— On fonce, dit-il.

La moto transportant Nick et Adélaïde fut la première à atteindre la sortie du parking. La jeune femme jeta un œil par-dessus son épaule et s'engagea à plus de cent kilomètres heure sur une route peu fréquentée. James avait piloté des trails dans l'Idaho, mais il n'avait jamais éprouvé une telle sensation de vitesse. Ses vêtements, pourtant étroits, claquaient comme des drapeaux.

Les Honda roulaient en formation serrée. James tournait fréquemment la tête pour s'assurer qu'ils n'avaient pas été pris en chasse. Selon Jo, le poste de police le plus proche se trouvait à quinze minutes de route du studio, mais la possibilité de croiser une voiture de patrouille ne pouvait pas être écartée.

Malgré le pare-brise censé atténuer les turbulences, le vent fouettait son visage. La chaussée, surface uniforme et floue, défilait à quelques centimètres de ses semelles. C'était sans conteste l'une des expériences les plus effrayantes de son existence. Il avait conscience que ses vêtements légers ne le protégeraient pas en cas de chute. En outre, il ignorait tout des capacités de Mark en matière de pilotage sur chaussée humide. Il s'efforçait de chasser de son esprit les images abominables de muscles à nu et d'os éclatés aperçus dans les pages sécurité de son magazine moto.

Les Honda parcoururent treize kilomètres en moins de cinq minutes avant de ralentir puis de s'engager sur une route secondaire bordée d'entrepôts abandonnés.

Elles s'immobilisèrent devant une gare de fret désaffectée située au bord de la rivière Tyne. Quatre véhicules étaient stationnés le long de la voie ferrée. Jo et Kyle patientaient devant les portes ouvertes d'un van. Le garçon fit glisser une rampe métallique. James et Cobb mirent pied à terre puis Mark et Adélaïde firent monter les motos à bord avant de couper les moteurs. Les quatre membres du commando se débarrassèrent des casques et des gants. Kyle replia la rampe puis referma le compartiment.

Jo pointa son arme en direction de Cobb et lui ordonna de marcher vers une camionnette bleue.

— J'ai le flingue de Mark, chuchota James à l'oreille de Kyle. Tu crois qu'on devrait intervenir ?

— Surtout pas. Jo et Adélaïde sont armées, tout comme le type planqué dans la camionnette. Tom fait le guet sur le toit.

— Merde, t'as raison. Ça pourrait finir en bain de sang.

Un hélicoptère de la police survola la gare à grande vitesse. Il se dirigeait vers les studios Tyneside. Mark se précipita vers les garçons.

— Ça craint. Il faut qu'on lève le camp. Kyle, occupe-toi du van des motos.

Le garçon prit James dans ses bras.

— À plus tard, petit frère, dit-il.

— Prends soin de toi, répondit James.

Il sentit alors son coéquipier glisser un morceau de papier dans sa poche.

Jo prit le volant de la camionnette bleue à l'arrière de laquelle Nick Cobb avait été enfermé. Adélaïde, qui s'était changée et maquillée à la hâte, monta à bord d'une Mini. Dès que les deux véhicules eurent quitté la zone, Tom sauta du toit de la gare.

— Suis-moi, dit Mark à James. On file à la planque.

Il ouvrit le coffre d'une petite Renault, se débarrassa de ses vêtements puis enfila un pantalon de survêtement et un polo blanc. James se déshabilla à son tour, dévoilant la chemisette de tennis Nike et le short bleu passés le matin sous son déguisement de punk. Il troqua ses rangers contre une paire de baskets puis plaça un sac de sport contenant des raquettes et des balles sur la banquette arrière.

Ils fourrèrent les vêtements, les chaussures et les accessoires utilisés au cours de la prise d'otage dans un sac-poubelle noir. Mark ordonna à James de glisser son revolver dans la housse de l'une des raquettes.

La Renault quitta la gare de fret abandonnée à 12 heures 07.

Treize minutes plus tôt, grimés en punk, ils avaient procédé à une prise d'otage arme au poing dans un studio de télévision. À présent, ils n'étaient qu'un père et un fils comme les autres, en route pour le club de tennis municipal.

32. Un animal comme les autres

Le rôle de James, de Mark et d'Adélaïde dans l'opération était achevé, mais ils continuaient à appliquer à la lettre les consignes strictes imposées par Jo. Les déguisements portés lors du rapt ne garantissant pas un anonymat absolu, elle craignait que des proches ne les reconnaissent lors de la diffusion des images tournées dans les studios Tyneside. Elle leur avait ordonné de s'enfermer dans une cachette où ils pourraient se surveiller mutuellement pendant vingt-huit heures. Ils n'étaient autorisés ni à sortir ni à communiquer avec leurs parents et amis.

La Renault s'arrêta devant une grande maison de la ville côtière de Whitley Bay quelques minutes après la Mini. James jeta son sac dans le salon, monta à l'étage puis se précipita vers les toilettes. Elles étaient fermées de l'intérieur.

— J'en ai pour une minute ! lança Adélaïde.

Mark verrouilla la porte d'entrée, entra dans le salon et sélectionna la chaîne d'informations en continu *News 24*.

— Venez voir, ils ne parlent que de nous ! s'exclama-t-il gaiement.

James était tenaillé entre le besoin impérieux de se vider la vessie et le désir de mesurer les effets médiatiques de la prise d'otage.

Adélaïde sortit des toilettes. Elle secoua ses mains trempées puis, à sa grande surprise, le prit dans ses bras.

— Tu as été génial, James, dit-elle en posant un baiser sur sa joue. Absolument génial.

— Merci, tu ne t'es pas mal démerdée non plus, répondit-il avant de s'engouffrer dans les toilettes et de pousser le verrou derrière lui.

Tout en se soulageant, il tira de sa poche le morceau de papier que Kyle y avait glissé. Il ne comportait que quelques mots griffonnés à la hâte : *Ferme des Oiseaux-Mouches près de Rothbury.*

James, qui avait été transporté aux studios Tyneside dans le compartiment aveugle d'un fourgon, ignorait toujours où se trouvait la ferme où étaient réunis les activistes de l'ALA. Kyle, qui avait été chargé de conduire le van jusqu'à la gare de fret, était parvenu à la localiser.

James était désormais le seul à pouvoir informer Zara, mais il lui fallait au préalable neutraliser les complices avec qui il avait reçu l'ordre de se cacher jusqu'à la fin de l'opération. À l'issue de cette retraite, Mark devait les conduire en compagnie d'Adélaïde à la gare voisine afin d'emprunter un train à destination de Bristol.

James ne disposait d'aucun moyen de télécommunication. La porte de la maison était fermée à clé. En outre, Mark et Adélaïde portaient tous deux une arme à feu. Il s'estimait capable de les maîtriser puis de prendre la fuite, mais la nouvelle de sa trahison risquait de mettre en péril la vie de Kyle.

Il se lava les mains puis rejoignit le salon. Ses complices étaient assis dans le canapé, les yeux rivés sur l'écran de télévision. Un journaliste commentait avec excitation les images enregistrées aux studios Tyneside.

Les deux caméramans, terrorisés, avaient cessé de filmer dès l'intervention des membres du commando, mais le réalisateur de l'émission avait poursuivi l'enregistrement à l'aide de caméras télécommandées positionnées aux quatre coins du plateau.

James, médusé, contempla la scène où il neutralisait brutalement Otis Fox.

— Ouch ! ça doit faire mal, dit-il.

Une jeune handicapée en chaise roulante apparut en gros plan à l'écran. Mark braquait son revolver dans sa direction. Elle était en larmes. Le journaliste commentait les images sur un ton sinistre :

« Ces images ont été enregistrées il y a quarante minutes aux studios Tyneside, près de Newcastle. Nick Cobb, le pape de la gastronomie télévisuelle, a été enlevé en public par trois inconnus se revendiquant d'un groupe baptisé Armée de Libération des Animaux. Ils ont annoncé qu'un programme serait diffusé en direct sur leur site Internet à partir d'une heure du matin. La police ignore pour le moment l'endroit où ces criminels retiennent leur victime, mais des recherches sont en cours dans toute la région. »

••

Jo, au volant du van qui transportait Nick Cobb, regagna la ferme par la route la plus directe. Kyle et Tom empruntèrent une route touristique qui longeait la rivière Tyne et atteignirent leur objectif près d'une heure plus tard.

Une femme râblée portant un fusil d'assaut en bandoulière ouvrit le portail. Kyle, qui avait attentivement observé chaque membre de l'ALA, estimait qu'elle était la seule à posséder une arme d'un tel calibre.

— Salut, Chase ! lança Tom.

— Salut. Gare-toi derrière la grange. Magnez-vous, la retransmission va commencer.

En descendant du véhicule, Kyle prit soin de glisser les clés dans sa poche.

— C'est excitant, non ? demanda Tom.

— Excitant, et un peu flippant.

Les deux garçons échangèrent un baiser. Kyle éprouvait un sentiment dérangeant. Tom était à ses yeux le petit ami idéal, à l'exception notable de son appartenance à une organisation criminelle.

— J'aimerais bien qu'on parte en vacances ensemble, quand ce sera terminé, dit Tom. Juste toi et moi, je veux dire. J'ai mis assez de fric de côté pour acheter des billets d'avion pour la Grèce. Tu crois que ta mère serait d'accord ?

Kyle avait le cœur brisé. Il aurait rêvé de passer quelques semaines à camper au bord de la Méditerranée en compagnie du garçon qu'il aimait, mais il savait que cela n'avait strictement aucune chance de se produire.

— Si elle n'est pas d'accord, je fuguerai, dit-il.

— Je ferai les réservations dès qu'on sera de retour à Corbyn, dit Tom en consultant sa montre. Allez, viens, je ne veux pas manquer les débuts de Viv à la télé.

∴

Les projecteurs braqués sur le plateau du studio clandestin dégageaient une chaleur infernale. L'antique installation électrique étant incapable de fournir l'énergie nécessaire au tournage, un générateur autonome avait été installé sur la pelouse, à l'avant du bâtiment.

Deux femmes manipulaient les caméras. Jay était assis devant une table pliante sur laquelle avaient été placés trois écrans de contrôle et une console réunissant plusieurs centaines de boutons. Il aboya quelques ordres aux adolescents chargés d'effectuer les ultimes réglages des micros et des projecteurs.

Viv se tenait au centre du plateau. À l'exception de la cagoule qui masquait son visage, il avait adopté la tenue et la gestuelle d'un présentateur télé professionnel.

Jo remit à Kyle et à Tom deux cagoules identiques.

— Portez-les quand vous vous trouvez dans cette pièce. À moins que vous ne teniez à ce que le monde entier voie vos tronches si quelqu'un se prend les pieds dans un câble et fait pivoter une caméra.

— Où est Cobb ? demanda Tom.

— Dans la pièce d'à côté. Je préfère qu'il ne voie le plateau qu'au dernier moment. Je veux que la caméra filme sa réaction au moment où il découvrira la cage.

— Qui pourra capter l'émission ? demanda Kyle.

— On va diffuser un flux en direct sur Internet. Le site accessible au public risque d'être surchargé si trop de personnes se connectent simultanément, mais les médias ont reçu des codes d'accès à un site miroir disposant d'une large bande passante. De cette façon, ils accéderont à une vidéo en haute définition qu'ils pourront rediffuser sur leurs antennes.

— La police n'a aucun moyen de remonter jusqu'à nous ?

Jo adressa aux garçons un sourire plein d'assurance.

— Ne vous inquiétez pas pour ça. J'ai étudié les aspects techniques de cette opération pendant trois ans. Les images sont mises en ligne grâce à une liaison satellite cryptée sur des serveurs répartis dans le monde entier. Un hébergeur peut interrompre notre connexion, mais il leur est absolument impossible de nous localiser. Si la police débarque ici, c'est qu'on a été suivis ou que quelqu'un nous a balancés.

— Silence, tout le monde ! cria Jay. On est à l'antenne dans cinq secondes. Quatre, trois, deux, un...

•••

— Bonjour à tous, bredouilla Viv, ému à la pensée des milliers, voire des millions, d'internautes connectés au site Internet de l'ALA. Bienvenue à *TV Libération*. Nous sommes en direct de…

Il marqua une pause affectée.

— À bien y réfléchir, je crois qu'il vaut mieux ne pas vous en dire davantage sur l'endroit d'où nous émettons. Cette émission vous est offerte par l'Armée de Libération des Animaux. Notre but : mettre un terme aux actes de cruauté envers les bêtes, encourager un mode de vie excluant leur exploitation et, plus globalement, inventer un futur où les hommes ne mettront pas en danger l'équilibre de notre planète.

Jay enfonça un bouton de la console. Un graphique apparut sur l'un des écrans de contrôle :

FAIT N° 1
L'année dernière, 600 millions d'agneaux, de vaches, de porcs et de poulets ont été abattus pour nourrir les chats et les chiens domestiques.
En outre, les ressources consacrées à l'alimentation de ces animaux d'élevage auraient suffi à résorber le problème de malnutrition à l'échelle mondiale.

— Rassurez-vous, cher public, dit Viv, je ne vais pas passer des heures à égrener des chiffres assommants. Voici celui que vous attendez tous, notre invité très spécial, monsieur Nick Cobb !

Les deux adolescents encagoulés traînèrent l'otage

jusqu'au plateau. Il portait un T-shirt orné d'un dessin de lapin, une tunique improvisée qui lui descendait jusqu'aux genoux.

— Prenez un siège, mon cher, ironisa Viv. Quelques applaudissements pour encourager notre ami Nick ?

Les activistes qui assistaient au tournage frappèrent dans leurs mains sans enthousiasme.

— Merci infiniment de vous être joint à nous, poursuivit Viv. Comment souhaitez-vous que je vous appelle ? Cobb, Nick, Nicky ?

— Je n'ai aucune intention d'entrer dans votre petit jeu, gronda l'otage. Je suis retenu ici contre ma volonté. Vous serez tous arrêtés et jetés en prison.

Cobb parlait d'une voix tranchante d'où avait disparu toute trace d'accent californien. Il semblait déterminé à tenir tête à ses ravisseurs.

— Allons, Nick, vous n'êtes qu'un homme, un animal comme les autres. Des milliards de vos semblables sont retenus dans des conditions bien moins enviables, dans les fermes et les laboratoires du monde entier.

— Fermez-la, espèce de petit connard arrogant ! lança Nick.

Viv éclata de rire.

— Cobby, mon ami, j'ai regardé tous les talk-shows auxquels vous avez participé lors de la promotion de votre autobiographie, et j'avoue qu'il y a quelque chose qui me chiffonne. Pas une seule fois vous n'avez parlé de Cobb Cleanse Inc., cette société de produits de nettoyage dont vous êtes l'unique actionnaire. Il est vrai qu'ils ne sont pas disponibles en Angleterre, mais je me suis laissé dire qu'ils avaient leur petit succès à l'étranger.

Nick, le menton levé, jaugea Viv d'un air méprisant.

— Il se trouve que mes amis de l'Armée de Libération des Animaux ont découvert quelques informations tout à fait étonnantes concernant votre petite entreprise, poursuivit le jeune homme. En 2003, dans l'Alabama, une fillette de trois ans a avalé un demi-litre de détergent ménager. Inutile de vous préciser que ça l'a rendue très, très malade. L'enquête a démontré que c'est à cause d'un défaut de conception du bouchon de sécurité que la petite victime a pu ingérer le produit. Ses parents ont poursuivi votre compagnie et réclamé soixante-six *millions* de dollars. Pourriez-vous nous dire, monsieur Cobb, quelle a été votre réaction lorsque vous avez appris que vous étiez attaqué en justice ?

L'homme resta muet.

— Cobby, je sais que vous êtes habitué à ce qu'on vous serve la soupe, mais cette émission est un peu différente des autres. Si vous persistez à ne pas collaborer, nous pourrions être amenés à vous exécuter en direct, histoire de relancer l'intérêt du public.

— Vous n'êtes qu'une merde insignifiante ! lança Cobb. Les petits bourges dans votre genre ne connaissent rien du monde réel. Pour être honnête, je préfère me prendre une balle dans la tête plutôt que de supporter vos délires gauchistes une seconde de plus.

Viv se sentit désarçonné, mais il était déterminé à ne pas laisser son interlocuteur prendre le dessus.

— Eh bien, cher monsieur Cobb, avec un peu de chance, les spectateurs auront le privilège d'assister à ce spectacle un peu plus tard. Mais, si ça ne vous fait rien, je souhaiterais achever mon histoire. Sachez, chers téléspectateurs, que les avocats de Cobb Cleanse Inc. ont décidé de démontrer que, par cupidité, les parents de la fillette avaient exagéré les dommages causés à son appareil digestif. La société de Mr Cobb a versé vingt-trois mille dollars à la filiale américaine du laboratoire de recherche Malarek afin de mener des tests. Cent huit lapins se sont vu administrer par voie orale le produit chimique mis en cause, puis ont été gardés en observation pendant trois jours, sans rien à boire, pendant que des scientifiques assistaient à la lente destruction de leur système digestif. Quatre-vingt-un animaux ont succombé à des hémorragies internes. Les survivants ont été euthanasiés puis disséqués afin d'examiner les dégâts occasionnés par le poison produit par Cobb Cleanse Inc.

Un deuxième panneau passa à l'antenne :

FAIT N° 2
Depuis 1995, plus de 80 000 animaux ont perdu la vie au cours d'expérimentations scientifiques menées non pas pour des motifs scientifiques mais pour produire des preuves dans le cadre de procès.

Viv secoua lentement sa tête encagoulée.
— Vous savez, monsieur Cobb, j'estime que le simple fait d'avoir autorisé ces tests vous désigne comme un

ennemi de notre cause. L'Armée de Libération des Animaux vous a conduit ici pour venger la mort de ces cent huit lapins. Nous allons vous placer dans cette cage et vous faire boire le produit avec lequel vous les avez torturés. Ensuite, nous pointerons nos caméras dans votre direction et laisserons les internautes observer ses effets sur votre organisme pendant vingt-quatre heures. Je suis sûr que nous allons beaucoup nous amuser.

33. Une bonne pinte de nectar

Toutes les chaînes d'information, de *CNN* à la *BBC* en passant par *NBC* et les chaînes boursières, passaient en direct les images diffusées depuis le studio clandestin.

James, Mark et Adélaïde étaient assis côte à côte sur le canapé de la planque. Ils avaient tiré les rideaux pour éviter que les rayons du soleil ne se reflètent sur l'écran de télévision.

— *Ce soir, grâce à Internet, le terrorisme rejoint la télé-réalité,* dit le commentateur. *Nous assistons à un spectacle terrible et fascinant dont il est, hélas, impossible de détourner le regard.*

Viv et les deux adolescents que James avait rencontrés la nuit précédente poussèrent Cobb à l'intérieur de la cage puis coincèrent sa tête dans un carcan placé entre deux barreaux.

— Ne vous inquiétez pas, *c'est exactement ce que vos amis ont fait aux lapins*, mon cher Cobby, dit Viv. Je tiens à souligner que mes collègues et moi-même n'avons *aucune* compétence dans le domaine médical, tout comme les employés de Malarek Research.

Il claqua la porte de la cage puis exhiba devant la caméra un verre d'un demi-litre et une bouteille de détergent Cobb Cleanse.

— Que diriez-vous d'une bonne pinte de ce nectar ? plaisanta-t-il en versant l'épais liquide bleu dans le verre. Ça a l'air absolument *délicieux*. Chers téléspectateurs, vous pouvez d'ores et déjà jouer chez vous, en famille, et parier sur les chances de survie de notre invité. Et si vous nous regardez sur Internet, sachez qu'un sondage en ligne est disponible sur notre site.

Viv pinça le nez de sa victime afin de la forcer à ouvrir la bouche. Cobb poussa un gémissement désespéré. L'un des jeunes assistants écarta ses mâchoires, puis son camarade enfonça dans sa gorge un tube équipé d'un entonnoir.

— Allez, régale-toi, mon gros lapin ! gloussa Viv.

La retransmission fut aussitôt interrompue. Le visage blême d'un journaliste apparut à l'écran.

— *Il semblerait que notre réalisateur ait arrêté la diffusion de ces images profondément dérangeantes. Bien entendu, nous ferons tout notre possible pour vous tenir informés des développements de cette affaire.*

— Et merde ! s'étrangla James. C'est exactement comme pendant la guerre en Irak. Ils coupent toujours au moment le plus croustillant.

Mark zappa rapidement de chaîne en chaîne. Toutes

avaient cessé de diffuser les images du martyre de Nick Cobb.

Adélaïde, hors d'elle, donna un coup de poing sur l'accoudoir du canapé.

— C'est dégueulasse ! On ne fait que montrer au monde ce que subissent chaque jour des milliers d'animaux de laboratoire.

— On peut continuer à regarder sur Internet ? demanda James.

— Pas ici. On n'a même pas le téléphone.

— Oh, je vois. Quelqu'un veut une autre tasse de thé ?

— Oui, j'en ai bien besoin, répondit Adélaïde.

— Pareil, dit Mark. Avec trois sucres, s'il te plaît.

James s'engouffra dans la cuisine. Il alluma la bouilloire et s'accorda deux minutes de réflexion. L'interruption inattendue de la retransmission lui permettait de se recentrer sur son objectif. Il devait trouver de toute urgence un moyen d'informer Zara de l'endroit où était retenu Nick Cobb.

Personne n'était entré en contact avec ses deux complices depuis leur arrivée à la planque. La maison où il se trouvait ne disposant pas de ligne téléphonique, un éventuel silence de Mark et Adélaïde pourrait être mis sur le compte d'un réseau GSM défaillant. De plus, Kyle, en tant qu'agent aguerri, avait forcément pris des mesures pour assurer sa propre sécurité avant de lui transmettre l'adresse du studio clandestin.

Le temps de verser l'eau bouillante dans la théière, James décida d'agir immédiatement. Il devait avant tout empêcher Mark et Adélaïde d'utiliser leurs armes. Le revolver de Mark se trouvait toujours dans le sac de sport, sous la table du salon, ce qui écartait toute possibilité de riposte rapide.

Celui d'Adélaïde posait davantage de problèmes. James n'avait pas la moindre idée de l'endroit où il se trouvait. Il jugea que la jeune femme constituait une cible prioritaire.

Tandis que le thé infusait, James dénicha dans les tiroirs de la cuisine une paire de ciseaux et une pelote de cordelette de nylon. Il en éprouva la solidité en tirant dessus énergiquement puis coupa six morceaux de deux mètres de long. Il saisit le gant de cuisine ignifugé, le mouilla sous le robinet, l'essora, le plia en quatre puis le posa sur le plan de travail, près des bouts de ficelle.

Il posa les trois mugs sur un plateau et regagna la pénombre du salon.

— J'ai loupé quelque chose ? demanda-t-il.

Mark secoua la tête.

— Ils ne passent plus d'images en direct. Toute une bande de pseudo-spécialistes défilent sur le plateau pour spéculer sur ce qui va se passer.

— La vache ! j'ai le crâne qui me démange, grogna James en se frottant le cuir chevelu. Je crois que j'ai chopé une irritation à cause de la teinture. Ça te dérangerait de jeter un œil, Adélaïde ?

— Bien sûr que non, dit la jeune femme.

James se dirigea vers la cuisine.

— Où tu vas ?

— Viens par là. Il fait trop sombre, ici.

Adélaïde poussa un soupir agacé mais le rejoignit.

— Si ta peau réagit à la teinture, il vaudrait peut-être mieux que tu te laves les cheveux.

James constata qu'Adélaïde mesurait exactement sa taille. Il avait la certitude de pouvoir la neutraliser sans difficulté, mais il devait agir en silence afin de ne pas alerter Mark.

— Assieds-toi sur cette chaise, dit-elle. Je ne peux rien voir si tu restes debout.

— Qu'est-ce que tu as fait de ton flingue ? demanda James. Tu l'as laissé dans la selle de la moto ?

Adélaïde ne sembla pas s'étonner de ce brusque changement de conversation.

— Il est là, dit-elle en soulevant sa chemise.

Elle avait glissé l'arme dans la ceinture élastique de son pantalon de jogging.

Aussitôt, James saisit le gant de cuisine humide, tordit le bras de son adversaire derrière le dos, la força à se retourner, plaqua le tissu contre sa bouche puis la colla contre le mur. Elle essaya de se libérer en lui administrant un coup de talon mais James évita aisément l'attaque.

— Je peux te péter le bras comme si c'était une brindille, gronda-t-il en accentuant le mouvement de torsion. Ouvre la bouche.

Adélaïde obéit. James enfonça le morceau de tissu au fond de sa gorge. Lorsqu'il fut certain qu'elle ne pourrait recracher le morceau de tissu, il s'empara du revolver et relâcha sa prise.

— Montre-moi tes poignets.

Il glissa l'arme dans la poche de son short, saisit deux des morceaux de cordelette qu'il avait disposés sur le plan de travail, puis attacha fermement les mains de son adversaire. Il jeta un œil dans le salon pour s'assurer que Mark était resté immobile dans le canapé.

— Si tu fais ce que je te demande, chuchota-t-il, je ne serai pas obligé de te faire du mal, c'est compris ?

Adélaïde hocha la tête.

— Viens avec moi dans le salon, pose tes fesses dans le fauteuil et ne fais plus un geste.

James s'empara des autres bouts de ficelle et poussa sa prisonnière vers la porte.

— Mais qu'est-ce que…, balbutia Mark, stupéfait de voir Adélaïde, un bâillon dans la bouche, sortir de la cuisine.

Ses yeux se posaient tour à tour sur James et le sac de sport.

— Tu n'auras pas le temps de le prendre, dit le garçon d'une voix ferme. Attrape cette cordelette et attache les chevilles d'Adélaïde.

— Écoute, James, dit Mark. Je comprends que ce que tu as vu tout à l'heure à la télé ait pu t'effrayer, mais t'échapper n'arrangera rien.

— Te fatigue pas, sourit James. Je t'ai dit d'attacher les chevilles d'Adélaïde. Obéis ou je te flingue.

Mark, l'air confiant, croisa les jambes puis posa nonchalamment un bras sur le dossier du canapé.

— Il n'y a pas de honte à avoir peur, James. Allez, ne

fais pas de bêtises. Aucun de nous ne sera arrêté tant qu'on s'en tiendra au plan initial.

Sur l'écran de télé, le présentateur interrompit le débat d'experts pour annoncer les derniers développements de l'affaire Cobb.

— *Les autorités nous ont demandé de ne pas diffuser en direct les images tournées par l'Armée de Libération des Animaux. Nous pouvons néanmoins affirmer que les terroristes ont placé un tube dans la gorge de Nick Cobb et l'ont forcé à avaler un demi-litre de détergent. Nous ignorons pour le moment les dégâts que peut occasionner ce produit chimique, mais un médecin proche de notre rédaction estime que cette dose pourrait être fatale si la victime ne reçoit pas un traitement médical dans les deux à trois heures à venir.*

James comprit alors qu'il n'avait pas le temps de parlementer.

— Bon tant pis, lâcha-t-il en se précipitant vers Mark. Au moins, j'aurai essayé.

Il se retrouva en équilibre instable, un genou enfoncé dans un coussin du canapé, à marteler maladroitement le crâne de son adversaire à coups de crosse. Cette stratégie se révéla inefficace. L'homme parvint à passer un bras autour de son cou.

Une telle bévue aurait pu coûter cher à James face à un ennemi puissant tel que Viv, mais il n'avait pas affaire à un colosse. Il parvint aisément à se libérer et à porter à Mark un coup violent à la tempe.

Ce dernier, complètement sonné, s'écroula sur la moquette.

— Voilà, tu es content ? grommela James, furieux, en lui liant les mains et les chevilles. Tu as eu ce que tu voulais ?

James se leva et constata que son polo de tennis était moucheté de sang. Il trouva le mobile de Mark entre les coussins du canapé et brandit son arme en direction de ses victimes.

— J'ai été sympa jusqu'ici ! lança-t-il en se dirigeant vers le couloir, mais si j'entends encore le moindre bruit, j'emploierai des mesures plus radicales.

Lorsqu'il fut seul dans l'entrée, il composa le numéro de Zara.

— Nom de Dieu, James ! Tu n'as rien ?

— Ça va, pour le moment, répondit-il en contemplant ses mains ensanglantées. Je me trouve dans une maison de Whitley Bay. Nick Cobb est retenu prisonnier par les terroristes de l'ALA à la ferme des Oiseaux-Mouches, près de Rothbury. Faites gaffe, Kyle est toujours parmi eux.

34. La loi du talion

C'était le spectacle le plus terrifiant auquel Kyle ait jamais assisté.

Nick Cobb s'était mis à vomir dès que le tube avait été retiré de sa gorge. Au bout d'une heure, il avait commencé à cracher du sang.

Viv paradait comme un coq sous les projecteurs. De temps à autre, il brandissait un micro entre les barreaux pour capter les gémissements de l'otage ou lisait des recettes de cuisine tirées de ses ouvrages gastronomiques.

La douleur s'amplifiant, Cobb ravala sa fierté et supplia qu'on lui donne de l'eau.

— Vous avez payé de votre poche pour que cent huit lapins endurent les mêmes souffrances, répliqua Viv. On ne leur a pas donné à boire. Vous n'en aurez pas non plus. Nous souhaitons que tous les complices de ces actes de torture — éleveurs, scientifiques et industriels — sachent quel châtiment nous leur réservons. Nous leur infligerons systématiquement le traitement enduré par leurs victimes.

Kyle et Tom étaient assis côte à côte sur un banc derrière les caméras. Jo fit irruption dans la salle, un mobile collé à l'oreille.

— On n'est plus à l'antenne, gronda-t-elle. Je ne sais pas comment ils s'y sont pris, mais les sites ne reçoivent plus notre signal satellite.

Un murmure inquiet parcourut l'assemblée. Jay se détourna de la console.

— On continue à filmer ?

— Bien sûr. On pourra diffuser le film plus tard, mais ça n'aura pas le même impact qu'une retransmission en direct.

Une lueur d'espoir éclaira le regard de Cobb.

— Fais risette à la caméra, mon petit lapin ! ricana Viv. C'est juste un petit problème technique. Ça ne t'empêchera pas de crever dans cette cage.

L'otage hoqueta, cracha un filet de bile sanglante puis s'effondra sur le sol.

Tom se dressa d'un bond et quitta la pièce d'un pas nerveux. Kyle le suivit le long d'un couloir lambrissé puis hors du bâtiment. La brume matinale s'était dissipée. C'était une belle journée de juillet. Le bourdonnement du générateur se mêlait au chant des oiseaux.

— Qu'est-ce que tu as ? demanda Kyle.

Tom était bouleversé.

— Tu ne trouves pas que mon frère en fait un peu trop ?

Kyle hocha la tête avec gravité.

— C'est clair, il s'éclate comme un malade.

— Tu trouves ça juste, la façon dont ils traitent Nick Cobb ?

Kyle observa un silence embarrassé.

— C'est n'importe quoi, cette histoire de loi du talion, œil pour œil, dent pour dent, sang pour sang, poursuivit Tom en se prenant la tête entre les mains. Je ne peux plus supporter de voir ce type crever en public. Je pensais qu'on allait faire sauter un immeuble, un truc dans le genre. Je regrette de m'être lancé dans cette opération.

Kyle ressentit un immense élan de tendresse. Ces aveux confirmaient ce qu'il avait toujours pensé : Tom était quelqu'un de bien.

— On s'est foutus dans une sacrée merde, dit-il. Et si on se tirait ? On n'a qu'à piquer une bagnole et se barrer loin d'ici.

— Viv ne partira pas. Il est dans son élément, au milieu de tous ces tordus.

— Oublie ce cinglé. Je te parle de *nous*.

— On ne peut pas faire ça, gémit Tom, les larmes aux yeux. Jo pourrait nous dénoncer pour l'incendie du dépôt Rapid Trak. On n'a pas le choix. Il faut serrer les dents et attendre la fin de l'opération.

Jo les interpella depuis l'entrée du bâtiment.

— Eh, bande de branleurs ! hurla-t-elle. J'ai besoin d'un coup de main.

— Qu'est-ce qu'on doit faire ? demanda Tom.

— Je ne sais pas pourquoi on a cessé d'émettre, mais ça ne sent pas bon.

— Mais tu m'avais dit que les autorités pouvaient fermer les sites via les fournisseurs d'accès.

— Les sites fonctionnent toujours, j'ai vérifié. C'est le flux satellite qui a été coupé. Ça peut être dû à un problème technique, mais ça peut aussi signifier qu'on a été repérés. Je veux que tout le monde se tienne prêt à évacuer. Déplacez tous les véhicules devant la ferme, tournés vers le portail, clés sur le contact.

— Je te rejoins dans deux minutes, Tom, dit Kyle en marchant vers la maison. Je vais chercher les clés.

Kyle doutait que la liaison satellite ait été coupée par le MI5 suite à l'information qu'il avait transmise à James. Ils ne pouvaient pas ignorer que cette manœuvre mettrait les criminels sur leurs gardes.

— Qui a les clés des vans ? lança-t-il en entrant dans la salle.

Il eut la surprise de trouver sept terroristes encagoulés rassemblés autour de la cage. L'état de Nick Cobb s'était brutalement aggravé. Il était allongé dans une flaque de sang au centre de la cage. Son corps était secoué de convulsions.

— Il faut qu'on le sorte de là, dit Jay.

— Qu'il aille se faire foutre ! répliqua Viv. Qu'est-ce qu'on y peut, s'il n'a pas tenu le choc ? On savait dès le début qu'il avait des chances d'y rester. On va pouvoir lever le camp plus tôt que prévu et je serai rentré à la maison à temps pour regarder le match de foot.

Personne n'ayant fait attention à sa requête, Kyle tourna les talons et rejoignit Tom à l'arrière du bâtiment.

— Qu'est-ce qui se passe ? demanda ce dernier.

— Ça part complètement en vrille, là-dedans. Apparemment, Cobb a perdu trop de sang. Il est en état de choc. Ils se disputent pour savoir ce qu'ils vont faire de lui.

— Quel bordel.

— Je retournerai chercher les clés dans une minute, quand ils auront pris une décision. Je vais en profiter pour déplacer le van à bord duquel on est venus.

— Et moi, je fais quoi ?

— Je sais pas trop... Tu as vérifié si les clés des autres véhicules n'étaient pas restées sur le contact ?

— Ça marche ! lança Tom.

Kyle grimpa à bord du van, sortit de l'arrière-cour en marche arrière puis roula au pas sur le sentier semé d'ornières qui menait au portail.

Jusqu'alors, considérant que James avait communiqué sa position à Zara et que le MI5 s'apprêtait à lancer l'assaut, il s'était contenté d'attendre la suite des événements. En outre, il s'estimait incapable d'affronter seul les neuf membres de l'ALA. Mais l'opération traînait en longueur, et la gravité de l'état de Nick Cobb l'obligeait à revoir sa stratégie.

Il analysa rapidement la situation. Il pouvait presser la pédale d'accélérateur, défoncer le portail, rouler jusqu'à l'agglomération la plus proche et appeler Zara d'un téléphone public. Mais, outre la présence d'une femme armée d'un fusil d'assaut à l'entrée du domaine, cette manœuvre d'évasion risquait d'attiser la nervosité de Jo et d'aboutir à l'exécution de l'otage ou à un affrontement violent avec les forces de police.

Il stoppa le véhicule et tira le frein à main. S'il n'agissait pas dans les plus brefs délais, Nick Cobb était condamné à mort. Il devait le délivrer et le soustraire à ses tortionnaires par n'importe quel moyen.

∴

Grâce aux indications fournies par James via le téléphone de Kyle, Zara avait pu rassembler des informations détaillées concernant la configuration du quartier général de l'ALA, l'identité des activistes et leur armement. Son rapport établi, elle l'avait communiqué au quartier général de l'unité antiterroriste de Milton Keyes.

Lorsque des agents de CHERUB étaient contraints d'adopter publiquement un comportement démontrant qu'ils n'étaient pas des enfants comme les autres, l'organisation devait procéder à une gestion spéciale des témoins. Dès leur arrestation, Adélaïde et Mark affirmeraient avoir été neutralisés par un garçon de quatorze ans disparu sans laisser de traces. Zara devait trouver un moyen d'étouffer l'affaire.

Mais elle avait un problème plus urgent à régler. Elle était en communication avec l'agent de liaison de CHERUB auprès de l'unité antiterroriste. Le sabotage de la liaison satellite l'avait mise hors d'elle.

— J'ai un agent de seize ans dans cette ferme ! hurla-t-elle. La seule chose qui m'importe, c'est sa sécurité.

Je ne vous ai pas transmis des informations confidentielles pour que vous mettiez sa vie en danger. Je me fous que votre supérieur souhaite empêcher les terroristes de se faire de la pub !

— La situation m'a échappé, plaida son interlocuteur.

— Je sais que vous n'y êtes pour rien, Joseph, mais la police locale estime qu'il s'écoulera au moins une heure avant que les équipes tactiques soient en place à Rothbury. Maintenant que la liaison satellite a été coupée, vous pouvez être sûr que les terroristes de l'ALA les attendront de pied ferme.

Lauren jaillit de la cuisine, son portable à l'oreille.

— Ne quittez pas, dit Zara. Je crois que Lauren a quelque chose à me dire.

— J'ai le campus en ligne, expliqua la jeune fille. Ils ont contacté le MI5. Il y a une équipe en opération à Gateshead. Ils disent qu'elle peut faire un détour par Whitley Bay pour régler le problème avec Mark et Adélaïde.

Zara posa une main sur le micro du combiné.

— Excellent travail. Tu pourrais appeler James pour l'avertir ? Le numéro est noté sur l'ardoise de la cuisine.

Lauren regagna son bureau improvisé et baissa le volume de la télévision portable.

Boulette gambadait joyeusement entre ses jambes.

— On jouera plus tard, bonhomme, dit-elle en lui grattant le dos. Je suis occupée.

Elle composa le numéro de portable de Mark.

— Zara ? lança James d'une voix anxieuse.

— Non, c'est moi.

— Salut, petite sœur. Ça fait une heure que j'attends des instructions. Fais court, la batterie du mobile est presque déchargée.

— Le MI5 envoie une équipe pour nettoyer la planque. Le problème, c'est qu'ils n'ont pas le niveau d'accréditation suffisant pour connaître l'existence de CHERUB. Il faut que tu sois parti avant leur arrivée. Tu as une bagnole ?

— Ouais, Adélaïde est arrivée ici à bord d'une chouette Mini.

— OK, prends tes affaires, pique la caisse et roule jusqu'au campus.

— Comment vont-ils régler le problème avec Mark et Adélaïde ?

— Les agents du MI5 ont reçu l'ordre de leur administrer assez de tranquillisants pour les assommer pendant une douzaine d'heures. Ils se réveilleront au poste de police dans un état de confusion total, et ils apprendront qu'ils ont été arrêtés grâce à un tuyau anonyme, sans doute balancé par un voisin suspicieux. Ils auront beau jurer que tu les as ligotés, personne ne les croira.

— Parfait. Et comment va-t-on expliquer ma disparition ?

— Disons que tu as sauté par la fenêtre au moment où les flics ont défoncé la porte.

— Alors on se revoit au campus dans quelques heures, si tout se passe bien, conclut James.

Il se traîna jusqu'au salon. Mark et Adélaïde, les yeux bandés, bâillonnés et ficelés avec expertise, étaient allongés côte à côte sur la moquette.

— J'espère que vous êtes à l'aise, dit-il en s'emparant des clés de la Mini dans la poche de la jeune femme.

Il avait un long trajet à accomplir jusqu'au campus. Il prit tout l'argent disponible dans le sac à main d'Adélaïde au cas où il devrait s'arrêter en route pour faire le plein ou acheter de quoi manger.

Il fit un dernier passage par les toilettes, fourra les deux revolvers et une bouteille d'eau minérale dans un sac puis quitta la maison. Conscient qu'il lui était difficile de passer pour un garçon en âge d'avoir le permis de conduire, il traversa la rue la tête basse et s'installa au volant de la Mini.

Il alluma l'air conditionné puis inspecta la boîte à gants et les vide-poches à la recherche d'un atlas routier. Il dénicha une paire de lunettes de soleil qu'il posa sur son nez dans l'espoir de paraître un peu plus vieux.

Il décida de rouler vers le sud pour rejoindre l'autoroute, puis de s'arrêter dans une station-service pour acheter une carte et définir un itinéraire lui permettant de rejoindre le campus sans effectuer de détours inutiles.

35. En pleine improvisation

Kyle descendit du van et marcha à la rencontre de Chase, la femme chargée de monter la garde devant le portail.

— Ça va ? demanda-t-elle. Quoi de neuf ?

— Rien de spécial. Jo veut que tu fasses une pause, le temps de prendre une tasse de thé et d'avaler quelque chose.

— Ça, c'est sympa. J'ai une de ces envies de pisser. J'étais à deux doigts de faire ça dans les buissons.

Chase tourna les talons et se dirigea vers la maison. Kyle s'éclaircit bruyamment la gorge.

— Excuse-moi, mais je ne me sens pas capable de repousser l'ennemi à mains nues.

— Ce que je peux être conne, gloussa-t-elle avant de lui remettre le fusil d'assaut. Tu sais comment ça marche ?

— Oh oui, ne t'inquiète pas pour ça ! répondit Kyle en faisant sauter le cran de sûreté d'un geste expert.

Il pointa le canon de l'arme sur la tête de Chase.

— Marche vers la maison, dit-il. Fais ce que je te demande, et je ne serai pas obligé de te tuer.

Les paupières de la femme papillonnèrent. Son regard exprimait l'incrédulité la plus totale, comme si elle venait d'entendre une mauvaise blague.

Elle scruta longuement le visage sombre du garçon et comprit qu'il ne plaisantait pas.

Kyle et son otage parcoururent les deux cents mètres de terrain à découvert qui les séparaient du corps de ferme. Il aurait suffi qu'un terroriste se penche à la fenêtre pour que la situation tourne à la catastrophe.

Le doigt posé sur la détente, Kyle ordonna à Chase de contourner le bâtiment et de s'engager dans l'arrière-cour. Tom avait quitté les lieux. Il trouva un chariot équipé de pneumatiques qui avait été utilisé pour déplacer les éléments du studio.

— Pousse-le à l'intérieur, lança-t-il.

— Tu as perdu la tête, murmura la femme.

— Le pire, c'est que je crois que tu as raison, répliqua Kyle, parfaitement conscient des risques insensés que cette stratégie lui faisait courir.

Il suivit Chase à l'intérieur du bâtiment. Il jeta un œil dans la cuisine pour s'assurer qu'elle était déserte puis, d'un hochement de tête, ordonna à la femme de s'engager dans le couloir.

— Laisse le chariot ici et entre la première, chuchota-t-il lorsqu'ils eurent atteint la porte menant au studio clandestin.

Ils pénétrèrent dans la pièce. Kyle dénombra sept

membres de l'ALA : Viv, Jay, Jo, les deux adolescents et les deux femmes chargées de manipuler les caméras. Seul Tom manquait à l'appel.

Ils étaient réunis autour de la cage. Kyle plaça le sélecteur de tir en position coup par coup et tira une balle dans le plafond.

— Les mains en l'air, tout le monde ! cria-t-il.

Il surveillait attentivement les réactions de Jo et de Viv, les deux activistes qu'il jugeait le plus susceptibles d'opposer une résistance. Malgré l'état de tension extrême dans lequel il se trouvait, il s'exprima avec le plus grand calme.

— La fête est finie, Jo. Fais sortir Cobb de la cage. Je vais le conduire à l'hôpital. Vous serez loin d'ici quand les flics arriveront.

— Tu n'auras jamais les couilles de nous tirer dessus ! lança la femme.

Lors de son apprentissage à CHERUB, il avait longuement étudié les phénomènes de dynamique de groupe. Celle qui régissait les rapports au sein de l'ALA était d'une extrême simplicité : Jo dominait ses adeptes par la terreur. Il devait impérativement la forcer à se soumettre.

— Sois logique, Jo. Je suis déjà allé trop loin. Si je me rends maintenant, soit tu me flingueras, soit tu m'enfermeras dans la cage avec Cobb. Je ne suis peut-être pas capable de tuer de sang-froid, mais je ne suis pas complètement idiot. Je te tirerai dessus si nécessaire. Je n'ai pas d'autre option.

Jo pesa longuement les arguments de Kyle, puis tira son revolver de sa ceinture avant de le faire glisser sur le sol dans sa direction. Le garçon se baissa pour le ramasser.

— Merci infiniment. Maintenant, ouvre la porte de la cage. Chase, approche le chariot. Les garçons, installez Cobb dessus.

Kyle, qui n'était pas convaincu à cent pour cent que Jo était la seule à posséder une arme, surveillait le moindre mouvement des terroristes.

Lorsque la porte grinça sur ses gonds, Cobb poussa un gémissement. Les deux adolescents l'allongèrent sur le chariot. Ses cheveux étaient trempés de sueur, son ample T-shirt maculé de vomissures sanguinolentes.

— Qui a les clés du van bleu ? demanda Kyle.

— J'ai toujours su que tu étais une lopette ! gronda Viv, ivre de rage. Ton petit frère James a plus de couilles que toi.

— Peut-être, mais je suis une lopette avec un Enfield SA80, répliqua Kyle, que sa victoire psychologique sur Jo avait mis en confiance. Filez-moi ces putains de clés !

— Ton petit copain est déjà passé les prendre ! lança Viv avec un sourire mauvais.

Kyle étouffa un juron.

— Jo, passe-moi ton portable, dit-il d'une voix ferme de façon à laisser croire à ses adversaires qu'il maîtrisait parfaitement la situation.

Jo obéit sans discuter. Il glissa l'appareil dans son short et recula lentement vers la porte.

— Je veux que vous restiez dans cette pièce jusqu'à ce que j'aie franchi le portail. Ensuite, vous pourrez faire ce que vous voudrez. Chase, pousse le chariot. Jay, tu viens avec nous pour nous aider à monter Cobb dans le van.

En réalité, Kyle pataugeait en pleine improvisation. Le seul véhicule dont il possédait les clés était stationné près du portail, à deux cents mètres du bâtiment, au bout d'un chemin plein d'ornières. Il estimait que Cobb n'était plus en état de supporter les cahots du chariot. Il était exclu d'aller chercher le van et de laisser Chase et Jay sans surveillance. En outre, il craignait que Jo ne dispose d'autres armes cachées dans les innombrables pièces de la ferme.

Avec le recul, il se maudissait de ne pas avoir fait monter Chase à bord du van puis garé le véhicule devant le bâtiment. Il n'avait plus le choix : il lui fallait remettre la main sur Tom et le forcer à lui remettre les clés d'un autre fourgon.

Ils progressèrent jusqu'à l'extrémité du couloir. Kyle entrouvrit la porte donnant sur l'arrière-cour et jeta un œil à l'extérieur.

— Tom, tu es là ? lança-t-il sur un ton neutre.

Il ignorait si son petit ami savait qu'il avait neutralisé ses complices.

Sous la menace de son arme, Chase et Jay poussèrent Cobb sur la pelouse où étaient garés les deux véhicules.

— Tom ? répéta-t-il.

Il examina les alentours puis, les nerfs à vif, ouvrit les portes arrière de la camionnette bleue et braqua le canon du fusil sur un amas de poufs et de coussins. Le compartiment était désert.

— Tom, qu'est-ce que tu fous ? cria-t-il en progressant le dos plaqué à la carrosserie.

Au moment où il passa devant la portière avant droite, Tom, qui s'était embusqué sous le tableau de bord, se redressa d'un bond et braqua un pistolet automatique par la vitre ouverte.

— Tourne-toi et lâche ton flingue ! ordonna-t-il.

Kyle jeta un coup œil oblique sur sa gauche et l'aperçut dans le rétroviseur extérieur. Les mains de Tom tremblaient comme des feuilles.

— J'ai fait ça pour toi, Tom, dit-il. Tu m'as dit que tu ne supportais pas ce qu'ils faisaient à Cobb. On va partir ensemble, le déposer à l'hôpital du coin et se tirer loin de ces malades.

— Et je t'ai dit que la seule façon de se sortir de ce merdier, c'était d'attendre que l'opération soit terminée, gronda Tom, fou de rage. Tu nous as foutus dans une merde pas possible.

— Je pensais que... bredouilla Kyle, qui doutait désormais de pouvoir se sortir de ce mauvais pas par de simples arguments.

Il décolla légèrement le fusil d'assaut de sa poitrine.

— Ne fais pas un geste !

— Je pensais qu'il y avait quelque chose de sérieux entre toi et moi, gémit Kyle.

— Je n'arrive pas à croire que tu aies fait *ça* ! Je n'ai aucune envie de te tirer dessus, mais je ne veux pas aller en prison.

— Bon, j'aurai essayé, murmura Kyle en baissant les yeux vers le sol en signe de soumission, comme s'il avait abandonné tout espoir. Si tu ne pars pas avec moi, je me fous pas mal de ce qui peut arriver.

Kyle posa une main sur son torse pour ôter la bretelle de son arme. Il tourna imperceptiblement la tête pour observer le rétroviseur et lut la terreur dans les yeux de Tom. À l'évidence, celui-ci n'était pas en état de résister à une manœuvre de désarmement.

Kyle retira la bandoulière et lâcha la garde. Le fusil pointa naturellement vers le sol. Alors, il enfonça la détente. Une balle frappa le gravier. Comme il l'avait espéré, Tom sursauta et souleva instinctivement le canon de son arme.

Kyle lâcha son Enfield, fit volte-face, saisit les poignets de Tom puis le désarma en leur imprimant un violent mouvement de torsion. Chase plongea pour se saisir du fusil. Un coup de pied droit dans l'abdomen l'envoya rouler dans la poussière. Le pistolet en main, Kyle posa un pied sur la poitrine de la femme et lui arracha son arme.

— Sors de là, Tom, et aide Jay à mettre Cobb à l'arrière.

Tandis que les deux garçons installaient l'otage sur les coussins du van, Kyle inspecta la cabine et constata avec soulagement que les clés se trouvaient sur le contact. Une fois les portes du compartiment fermées, il posa le fusil sur le siège passager, alluma le moteur et roula jusqu'au portail.

Il descendit du véhicule et donna un coup de pied dans la grille. Il jeta un dernier regard anxieux à la maison, remonta à bord du van, puis s'engagea sur la route de campagne. Il saisit le portable de Jo et composa le numéro de la ligne d'urgence du campus.

— Je viens de quitter la ferme, dit-il. Il me faut des instructions pour rejoindre l'hôpital le plus proche.

— Tu es blessé ? répondit une voix féminine.

Kyle reconnut Chloé Blake, récemment promue au poste de contrôleuse de mission.

— Négatif, répondit-il en observant le rétroviseur intérieur pour s'assurer que personne ne s'était lancé à sa poursuite. Mais j'ai Nick Cobb à l'arrière. Il est dans un sale état, et je ne sais vraiment pas s'il va s'en sortir.

36. Un cœur brisé

Zara se sentait apaisée. James avait quitté la planque sans encombre et Kyle était en contact direct avec la salle de contrôle du campus.

Lauren, installée sur le canapé du salon en compagnie de Ryan, regardait une chaîne d'informations en continu. Elle s'étonnait de la façon dont les journalistes parvenaient à pérorer pendant des heures en ne disant pratiquement rien.

Lassée de ce spectacle, elle s'apprêtait à se rendre dans le jardin pour jouer avec Boulette lorsque Zara fit irruption dans la pièce.

— Kyle est hors de danger, sourit-elle. Cobb se trouve avec lui, mais il est mal en point. Dès que la police sera informée, les unités tactiques lanceront l'assaut sur la ferme. Le hic, c'est que James et Kyle seront identifiés dès les premiers interrogatoires, et que les enquêteurs remonteront facilement jusqu'au cottage. Il faut qu'on disparaisse en vitesse.

— Tout de suite ?

— On n'a pas le choix. Tu peux commencer à rassembler tes affaires et celles des garçons ?

— Et moi, je deviens quoi ? demanda Ryan.

— Tu pars aussi. Je peux te réserver une chambre d'hôtel, si tu veux. On te trouvera un appartement dans les jours qui viennent, à moins que tu n'aies déjà des projets.

— Ce qui m'inquiète, c'est ma liberté sur parole. Je te rappelle que je n'ai pas le droit de déménager.

— Surtout, ne dis rien à ton responsable de conditionnelle. Appelle-moi demain pour me dire où tu te trouves. Je réglerai le problème sur le plan juridique et je ferai transférer quelques milliers de livres sur ton compte pour que tu puisses vivre tranquillement pendant quelques mois.

Lauren semblait préoccupée.

— Et pour Boulette ? dit-elle. Les animaux de compagnie sont interdits dans le bâtiment principal du campus.

— Il faut qu'on le prenne avec nous. Tu devras le confier à un T-shirt rouge, à moins que Ryan ne veuille le garder.

Lauren sentit sa gorge se serrer. L'idée de ne plus revoir Boulette lui était insupportable.

— C'est impossible, objecta l'homme, au grand soulagement de la jeune fille. J'ai l'intention de participer à plein temps aux opérations de l'Alliance Zebra. Je ne pourrai pas m'en occuper.

— Eh bien, Lauren, lança Zara, qu'est-ce que tu attends pour commencer à faire les bagages ?

— C'est bon, j'arrive sur King Edward Place ! hurla Kyle avant de griller délibérément un feu rouge. Je vais où, maintenant ?

Chloé livrait ses instructions avec un calme olympien.

— Prends la deuxième à droite.

Kyle négocia le virage à grande vitesse, puis freina brutalement.

— C'est une voie à sens unique.

Cobb poussa une plainte déchirante.

— Tiens bon, Nick, dit-il. On est presque arrivés.

— On s'en fout. Continue tout droit, puis tourne deux fois à gauche. Tu tomberas sur un boulevard. Tu devrais voir l'hôpital, un peu plus loin sur ta droite.

Kyle accéléra. Aussitôt, il entendit une sirène de police. Il jeta un œil dans le rétroviseur central et constata qu'il avait été pris en chasse par une voiture banalisée, sans doute l'une des unités chargées de surveiller les abords de la ferme.

— Et merde, j'ai les flics au cul. Qu'est-ce que je fais ?

— Fonce jusqu'au parking de l'hôpital. On nettoiera le bordel plus tard.

— Compris.

Kyle négocia le premier virage à plus de quatre-vingt-dix kilomètres heure sans parvenir à distancer le véhicule de police.

À une centaine de mètres devant lui, le feu passa au rouge. Décidé à tenter le tout pour le tout, il enfonça la pédale d'accélérateur, actionna l'avertisseur et effectua un virage à gauche en dérapage contrôlé.

Une voiture venue de la droite pila net, évitant la collision d'extrême justesse. Il effectua un écart, monta sur le trottoir, heurta le pare-chocs d'une petite Toyota et reprit sa course sur une large avenue.

Aussitôt, il aperçut une rampe d'accès menant à un parking encombré d'ambulances. Au moment où il ralentit, la voiture de police s'engagea sur la voie de droite et s'immobilisa sur sa trajectoire. Kyle, qui avait longuement étudié les manœuvres automobiles au cours du stage de conduite avancée, appuya sur l'accélérateur et utilisa le poids du van pour repousser l'obstacle. Il lança quelques coups de klaxon pour disperser les piétons qui traînaient devant l'accueil des urgences, freina brutalement puis descendit du véhicule. Le véhicule qui l'avait pris en chasse s'immobilisa derrière lui, sirène hurlante.

Trois brancardiers jaillirent du bâtiment.

— J'ai un blessé à bord ! hurla Kyle en ouvrant les portes du compartiment arrière.

Les deux policiers se ruèrent sur lui. Il leva les mains en signe de reddition.

— Contre le van, les mains sur le toit ! ordonna l'un d'eux en brandissant une matraque.

Kyle obéit sans discuter.

— Nom de Dieu, c'est Nick Cobb ! s'exclama l'un des brancardiers.

— Tu as quelque chose sur toi ? demanda le policier.

— Oui. Un revolver Smith & Wesson et un pistolet automatique.

L'homme, stupéfait, s'empara des armes.

— C'est tout ?

— Il y a aussi un fusil d'assaut sur le siège passager.

À cet instant précis, le talkie-walkie suspendu à la ceinture du policier cracha un message.

« *Unités six-deux et un-huit-huit. L'un de vous reste sur les lieux pour garder le véhicule. L'autre est chargé d'escorter immédiatement le conducteur appréhendé à l'aéroport de Newcastle.* »

•••

Lorsqu'elle eut achevé de remplir le coffre du monospace, Lauren examina une dernière fois les penderies et les tiroirs pour s'assurer qu'elle n'avait rien oublié. Elle tomba sur Ryan sur le palier du premier étage.

— Salut, lança-t-elle d'une voix étranglée.

— Eh bien, qu'est-ce que c'est que cette petite tête toute triste ? dit l'homme. Tu n'es pas contente de rentrer au campus ? D'après ce que j'ai entendu, c'est un endroit formidable.

— Ouais, c'est cool. J'ai hâte de revoir mes copines et tout ça, c'est juste que… Tu te souviens, la première fois qu'on s'est vus ? Tu as dit que tu n'aurais jamais de famille et que tu finirais ta vie en prison. Eh bien…

Lauren fit une pause pour s'essuyer le nez à l'aide d'un Kleenex.

— En fait, j'espère vraiment que tu gagneras ta guerre contre Malarek et que tu vivras jusqu'à quatre-vingt-dix-neuf ans entouré d'une vingtaine d'enfants et de petits-enfants.

Ryan semblait sincèrement touché.

— Je ne savais pas que mon sort te préoccupait à ce point, dit-il en serrant Lauren dans ses bras. Ça me fait plaisir, tu sais.

— « Si je suis parvenu à convaincre des filles comme toi de réfléchir à ce qu'elles avalent, de ne plus consommer de la viande ni de porter des morceaux de cadavres d'animaux en guise de vêtements, mon combat n'aura pas été vain », cita Lauren.

— Wow, soupira Ryan. Tu as une de ces mémoires... Lauren sourit.

— En ce qui me concerne, c'est décidé. Je serai peut-être obligée de manger de la viande pendant les opérations d'infiltration, mais en dehors de ça, je resterai végétarienne.

Ryan posa un baiser sur la joue de Lauren.

— Tu es une fille adorable. J'espère que tu suivras cette résolution.

— C'est promis. Dès que je serai de retour au campus, je téléchargerai les brochures concernant l'élevage industriel sur le site de l'Alliance, j'en ferai des photocopies et je les distribuerai à mes copines.

Zara apparut au pied de l'escalier. Elle avait placé

Boulette dans un panier improvisé constitué d'une corbeille à linge tapissée de deux serviettes de bain.

— Il faut qu'on y aille. Je te dépose quelque part, Ryan ?

— Je vais me débrouiller. Je crécherai chez Lou pendant quelques jours, le temps de régler deux ou trois trucs. Il passera me chercher à sa sortie du boulot.

Lauren s'installa sur la banquette, Boulette à ses côtés. Le monospace s'engagea dans la rue principale de Corbyn Copse. Elle regarda le cottage disparaître de son champ de vision. En passant devant le portail du laboratoire, elle reconnut quelques visages familiers. Alors, le cœur brisé, elle réalisa qu'elle n'avait pas pu dire adieu à Stuart.

⋯

L'expérience de James en matière de conduite automobile était extrêmement limitée : il avait fui la propriété d'un gang de trafiquants de drogue à bord d'une Range Rover et sillonné l'Arizona et la Californie pour échapper aux forces de police des deux États. Mais c'était la première fois qu'il empruntait une voiture pour rentrer chez lui, tout simplement.

Coincé dans les embouteillages aux environs de Leeds, il écoutait les informations à la radio. Nick Cobb avait été déposé à l'hôpital par un jeune terroriste. Quelques minutes plus tard, les autres membres de l'ALA avaient été appréhendés par la police à bord de deux vans, à quelques kilomètres de Rothbury.

Les enquêteurs avaient rapidement identifié la dirigeante du groupe : c'était la fille de Joe Jules, pop star des années 1980. Un suspect de dix-sept ans nommé Kyle Wilson avait mis fin à ses jours à l'aide d'un couteau caché dans la doublure de sa veste durant son transfert vers le poste de police de Tyneside.

James esquissa un sourire. Il se demandait comment sa propre disparition serait présentée par les médias. Son visage s'assombrit lorsqu'il constata que la jauge de carburant était au plus bas.

Malgré les risques auxquels il s'exposait en se montrant publiquement au volant d'une voiture, il s'arrêta à la première station-service. Par chance, les clients étaient rares, et le caissier au visage sinistre n'avait d'yeux que pour la barquette de poulet aux champignons qui tournait dans le micro-ondes placé sous le comptoir.

Après avoir fait le plein, James se rendit à la supérette. Il acheta une carte de la région et étudia un itinéraire en dégustant un double cheeseburger sans mayonnaise. Avant de partir, il appela Kerry depuis un téléphone à pièces pour l'informer qu'il se portait bien et qu'il serait de retour vers vingt heures.

37. Décret officiel

Le monospace atteignit les abords du campus aux alentours de dix-neuf heures.

— On va s'arrêter à la maison deux minutes, si ça ne te dérange pas, dit Zara. Ewart doit être en train de mettre les petits au lit. J'aimerais bien leur faire la surprise.

Lauren, effondrée sur la banquette, ne fit aucune objection.

Lorsqu'il entendit la voiture remonter l'allée, Ewart conduisit ses enfants sur le seuil de la maison. Tiffany, qui savait à peine marcher, se cramponna aux jambes de son père. Joshua bondit sur la pelouse en pyjama *Buzz l'Éclair*.

— Maman ! cria-t-il, ivre de joie.

— Oui, je suis là, mon chéri, sourit Zara en prenant son fils dans ses bras pour le couvrir de baisers.

— Où est mon cadeau ?

— Eh bien, c'est-à-dire… Je n'ai pas eu le temps de m'en occuper. Demain, je t'emmènerai au magasin de jouets, comme ça, tu pourras choisir ce qui te plaît.

— Non, gémit Joshua, la bouche tordue. Je veux mon cadeau *maintenant*.

Alors il aperçut Boulette. Le chiot se dégourdissait les pattes près du monospace en compagnie de Lauren.

— Oh ! petit chien, s'exclama le petit garçon en se tortillant, impatient d'aller à la rencontre de l'animal.

Boulette considéra d'un œil suspicieux le minuscule être humain qui se ruait vers lui en poussant des cris perçants.

— Caresse-le doucement, dit Lauren. Et arrête de crier, tu vas lui faire peur.

Joshua fit courir sa main sur le dos de Boulette. Le chiot pencha la tête et lui lécha les orteils. Tiffany, frustrée de ne pas être de la fête, commença à chouiner. Ewart l'aida à marcher jusqu'à l'animal.

— Il est drôlement mignon, ce beagle, dit-il. Moi, j'avais un golden quand j'étais T-shirt rouge.

— Pourquoi vous ne le gardez pas ? suggéra Lauren. Après ce qu'il a vécu, je préférerais qu'il vive au calme avec vous plutôt qu'avec les gamins du bloc junior. C'est un vrai repaire de sauvages, surtout les garçons.

Zara et Ewart échangèrent un regard interrogateur.

— Qu'est-ce que t'en penses ? demanda ce dernier en s'accroupissant pour faire sauter sa fille sur un genou. On avait déjà envisagé d'avoir un chien. En plus, tu ne partiras plus en mission quand tu seras nommée directrice.

— *Si* je suis nommée directrice, rectifia Zara.

— Selon Mac, c'est dans la poche.

— On le garde ? demanda Joshua, qui avait suivi attentivement la conversation de ses parents.

— Merci pour ta proposition, Lauren, dit Zara. Je crois bien qu'on va se laisser tenter. En plus, vu qu'on habite tout près du campus, tu pourras l'emmener se promener ou jouer avec lui quand tu voudras.

— Super ! Je pourrai venir avec Bethany ? Je lui ai parlé de Boulette au téléphone, et elle est impatiente de le rencontrer.

— Qu'est-ce qu'on dit à Lauren pour le cadeau ? demanda Ewart à son fils.

— Merci, dit le petit garçon avec un large sourire.

— Je vais quand même poser une condition, dit la jeune fille. Vous ne lui donnerez pas de viande à manger.

— Quoi ? s'étonna Zara.

— J'ai plusieurs sacs de croquettes végétariennes dans mes bagages. Ensuite, je vous donnerai l'adresse du site Internet où vous pourrez vous en procurer si vous n'en trouvez pas au supermarché.

— Bon, c'est d'accord. Si j'arrive à empêcher Ewart de lui faire passer des morceaux de steak en douce sous la table…

∴

Lors du voyage de retour, James se trompa deux fois d'itinéraire. Il se présenta devant les portes du campus peu après vingt et une heures. Il se gara devant le bâtiment principal puis donna deux coups d'avertisseur dans l'espoir que ses camarades descendent l'accueillir et jettent un œil jaloux à la Mini.

Il constata avec étonnement que les allées, les cours de tennis et le terrain de football étaient déserts. Il franchit les portes automatiques et se présenta à la réception.

— Salut, Violet ! lança-t-il à la réceptionniste. Où sont passés tous les agents ?

— Il y a un tournoi de football *indoors* dans le gymnase. Dis donc, je ne t'avais pas reconnu, avec tes cheveux châtains.

— Ça me va comment ?

— Peu importe la couleur de tes cheveux, tu seras toujours le plus beau. Par contre, tu ne sens pas très bon. Je te signale que tu as du sang séché plein ton T-shirt.

— Je ne me suis pas lavé depuis deux jours. Je vais monter prendre une douche avant de retrouver la bande.

— Tu es sûr que tu n'oublies rien ? demanda Violet.

— Pardon ?

— Rends-moi les clés de la voiture, tu seras gentil. Je n'ai pas envie que la soirée finisse en rallye dans les allées du campus.

— Je ne ferais jamais une chose pareille, répliqua James, feignant l'indignation.

Il posa le trousseau sur le guichet.

— Évidemment, dit la femme. D'ailleurs, tout le monde sait que tu es un petit saint ! Toutes ces convocations dans le bureau du docteur McAfferty ne sont que le fruit de regrettables malentendus.

Il tourna les talons et emprunta l'ascenseur jusqu'au sixième étage. La chaleur était telle que la plupart des résidents avaient laissé la porte de leur chambre grande ouverte afin d'en favoriser l'aération.

Il entra dans le studio de Kerry et observa d'un œil ému ses objets personnels. Son parfum embaumait l'atmosphère. Impatient de la retrouver, il courut jusqu'à sa chambre.

Le sac de sport contenant les vêtements qu'il avait laissés à Corbyn Copse était posé dans le couloir. Il jeta un œil dans la chambre de Kyle et trouva son ami étendu sur son lit.

— Eh, salut. Comment t'as fait pour rentrer aussi vite ?

— J'ai pris un hélicoptère à l'aéroport de Newcastle. Le pilote m'a déposé sur le terrain de foot.

James remarqua que son camarade avait les traits gonflés, comme s'il avait pleuré.

— Qu'est-ce qui t'arrive ?

— C'est juste que… je pense à Tom. Tu te souviens quand tu m'as dit que Kerry n'était pas la fille la plus canon de l'univers, mais que tu la trouvais spéciale, et que tout était plus beau quand vous étiez ensemble ? Ben tu vois, je ressentais la même chose quand j'étais avec lui. J'adorais nos balades en MG dans la campagne, nos sorties au cinéma…

— Et vos séances de galipettes sur mon lit.

Kyle éclata de rire.

— Ça n'est arrivé qu'une fois !

— T'inquiète. Je ne me suis jamais excusé pour la façon dont je me suis comporté, ce jour-là. À partir de maintenant, je décrète officiellement que tous mes amis peuvent utiliser mon lit, pourvu qu'ils gardent leurs sous-vêtements.

— En tout cas, s'il y a une chose que je ne regretterai pas, c'est cette minuscule baraque. On était tellement tassés, là-dedans. Je me demande comment on n'en est pas venus aux mains.

— Bon, je vais prendre une douche. Tu veux venir avec moi au gymnase ou tu préfères t'apitoyer sur ton sort ?

38. Les grandes vacances

DEUX JOURS PLUS TARD

Chaque été, les agents qui ne se trouvaient ni en mission ni sous le coup d'une sanction disciplinaire passaient cinq semaines de vacances à la résidence de CHERUB sur l'île de C..., en mer Méditerranée. Ceux qui achevaient une opération durant cette période rejoignaient leurs camarades grâce à des vols réguliers, mais la moitié de la population du campus était acheminée à bord d'un vieux Tristar de la Royal Air Force.

Cet appareil conçu pour transporter des soldats n'était pas aussi confortable qu'un avion de ligne civil. Il ne disposait pas d'écran de projection. Les sièges non inclinables étaient garnis de housses déchirées. Le sol métallique de la cabine était couvert de sable et de boue séchée. Les vide-poches étaient pleins de miettes et de pelures d'orange moisies. Et en dépit de l'interdiction de fumer en vigueur depuis des années, les cendriers débordaient de mégots.

Les cent seize passagers s'en moquaient royalement. Il régnait une atmosphère festive. Ils riaient, braillaient et chantaient à pleins poumons. La plupart avaient entrepris de liquider le contenu du sac déjeuner qui leur avait été remis lors de l'embarquement. Ils patientaient à bord de l'avion depuis près d'une heure. L'un des bus chargés de conduire les agents à la base militaire voisine du campus étant tombé en panne, ses occupants avaient emprunté des taxis réquisitionnés en urgence par les autorités de CHERUB.

En se penchant au hublot, Lauren vit James et Kerry gravir les marches de la passerelle.

— Ah ! les voilà enfin.

— Ils ne se quittent plus, ces deux-là, dit Bethany, coiffée d'une couronne en carton d'où pendouillait une masse de serpentins. En plus, ils n'arrêtent pas de se lécher la pomme en public.

— James a trop de bol, soupira Rat.

En remontant l'allée, James salua quelques agents qu'il n'avait pas revus depuis son retour de mission.

— Merci pour le coup de main pendant le programme d'entraînement ! lança Jake, le petit frère de Bethany.

— De rien, répondit James. Il paraît que tu t'es débrouillé comme un chef.

— Pfff, c'était du gâteau !

— Et pourtant, tu ne la ramenais pas la dernière fois qu'on s'est vus.

— Tiens, au fait, j'ai un truc à te montrer, dit le garçon en lui tendant une PSP. Je parie que tu vas adorer.

— Qu'est-ce que c'est ? demanda Kerry en se pressant contre son petit ami.

James constata que Jake avait sélectionné le mode vidéo. Il enfonça le bouton CROIX.

Le plateau de l'émission d'Otis et Wendy Fox apparut à l'écran. Le présentateur bondissait sur un jeune homme encagoulé avant d'être frappé violemment au visage. La scène était brève mais d'une rare violence. James en resta estomaqué.

— Ça, c'était un *méchant* coup de poing, sourit Jake.

— Et je ne suis pas près de l'oublier, ajouta James en exhibant les égratignures laissées par les menottes sur ses phalanges.

— Ça c'est rien du tout, à côté du pif d'Otis Fox, gloussa le voisin de Jake.

— Je pourrai faire une copie, quand on sera à la résidence ? demanda James.

— Évidemment.

Kerry lança un regard noir à son petit ami.

— Ben quoi ? Qu'est-ce que j'ai fait encore ?

— Ces mômes n'ont que dix ans. Tu te rends compte de l'exemple que tu leur donnes ?

— Jake n'a pas besoin qu'on l'encourage, sourit James. C'est déjà un dur à cuire.

Les deux agents rejoignirent Bethany, Lauren et Rat à l'arrière de l'appareil. James félicita chaleureusement ce dernier d'être venu à bout du programme d'entraînement. Kerry souhaita un joyeux anniversaire à Bethany.

— Ah oui, au fait, dit James sans manifester beaucoup d'enthousiasme. Ça te fait combien, maintenant ? Douze ans, c'est ça ?

La jeune fille hocha la tête.

— Je parie que ma sœur a déjà commencé à te bourrer le crâne avec sa propagande végétarienne.

— Exact, répliqua Lauren. Et elle est d'accord pour essayer. Rat aussi, d'ailleurs.

— Quoi ? s'étrangla ce dernier.

— Ben oui, tu m'as dit que tu lirais les brochures.

— Ouais, mais honnêtement, c'était juste pour que tu me lâches la grappe.

Kerry prit place derrière Lauren, à côté de Kyle.

— Tu peux mettre mon sac dans le porte-bagages, James ? demanda-t-elle.

— Ce sera tout, Votre Majesté ? ricana James. Duty free, serviettes chaudes, thé, petits gâteaux ?

Lorsque James ouvrit la trappe située au-dessus des sièges, un hurlement lui déchira les tympans. Des flashs crépitèrent. Il tituba en arrière et laissa tomber le sac. Son visage exprimait l'effroi et la stupeur.

— Nom de Dieu ! s'étrangla-t-il en posant une main sur sa poitrine.

Ses camarades étaient écroulés de rire. Veryan, une petite fille portant un T-shirt rouge, s'extirpa du compartiment, se laissa tomber sur le sol métallique, puis parcourut l'allée centrale afin de collecter auprès des amis de James les douze barres chocolatées promises en échange des dix minutes passées dans le porte-bagages.

— Je t'ai bien eu ! lança Lauren.

James s'empara du téléphone portable de sa sœur et découvrit la photo peu avantageuse qu'elle venait de prendre de lui.

Il esquissa un sourire, s'assit à côté de Kerry et boucla sa ceinture.

— Tiens, voilà Zara, annonça Kyle. On va enfin pouvoir décoller.

La jeune femme gravit les marches de la passerelle en traînant une poussette repliée. Ewart portait Joshua et Tiffany dans ses bras.

— Je me demande qui va s'occuper de Boulette pendant les vacances, dit Lauren.

— Mr Large, je suppose, dit Kyle. Il vit tout près de la maison des Askers, et il a déjà des chiens.

— *Quoi* ? Tu parles de ses deux rottweilers ? Mais ils vont le *bouffer* vivant !

— Le pauvre, ricana James. Vous croyez que Large promène ses clebs à quatre heures du matin ? Si ça se trouve, il leur a aménagé un petit parcours combat, et il les force à faire des pompes sur les pattes avant.

— La ferme, gronda Lauren, qui se faisait sincèrement du souci pour Boulette.

— Ne t'inquiète pas, dit Kyle sur un ton apaisant. Large a cinq ou six chiens, mais pas que des rottweilers. La dernière fois que je suis allé en ville, je l'ai croisé qui se promenait avec sa moitié, sa petite fille et un minuscule jack russel.

— En plus, je pense que ce ne serait pas très bon

pour son avancement, si Saddam et Thatcher dévoraient le chien de la directrice.

— Lauren, tu n'étais pas censée raconter ça à tout le monde ! protesta James, indigné.

— Je n'ai rien dit. Mac a annoncé sa nomination hier soir, à l'heure du dîner, pendant que tu te baladais autour du lac avec Kerry.

— Quoi ? Zara est la nouvelle directrice ? s'étonna cette dernière.

— Ouais, hocha Kyle. C'est une sacrée surprise, pas vrai ?

— C'est génial. Je pensais qu'ils allaient nous coller un vieux con venu de l'extérieur.

Zara fut accueillie dans la cabine par un concert d'applaudissements et d'exclamations. Le rouge lui monta aux joues, puis son visage s'éclaira d'un sourire radieux.

— Merci beaucoup, dit-elle, mais vous serez peut-être un peu moins enthousiastes quand je commencerai à distribuer les punitions à ceux d'entre vous qui franchiront la ligne jaune.

La voix du pilote résonna dans l'intercom :

— *Bonjour à tous. On vient de m'informer que nous sommes enfin au complet. Je viens de recevoir l'autorisation de décoller. Bouclez vos ceintures, relevez vos tablettes et restez assis jusqu'à ce que nous ayons atteint notre altitude de croisière. Bon voyage à tous.*

Lorsque l'appareil commença à rouler, les agents s'abandonnèrent à de bruyantes manifestations de joie. Quelques minutes plus tard, il s'immobilisa en bout de piste. Le pilote poussa la manette des gaz. Les réacteurs grondèrent, puis le Tristar s'ébranla.

— C'est trop cool, dit James à Kerry. C'est la première fois qu'on part en vacances tous ensemble, toi, moi, Lauren, Kyle et Bruce.

— C'est vraiment trop con que Gabrielle soit partie en mission au dernier moment. À part ça, je crois que ça va être le plus bel été de notre vie.

Lauren plongea une main dans son sac de gym Nike, impatiente de feuilleter son exemplaire de *Just Sixteen*, un magazine pour adolescentes. Ses doigts rencontrèrent un objet tiède et gluant. Elle le sortit, l'examina avec des yeux ronds, puis se tourna pour jeter à son frère un regard assassin.

— James ! gronda-t-elle. Qu'est-ce que c'est que ce truc ?

— Tu as besoin de lunettes ? Tu vois bien que c'est une côte d'agneau.

Kyle émit un bref éclat de rire.

— Ce n'est vraiment pas drôle, dit la jeune fille. Tu as conscience que c'est un morceau de cadavre ?

— Mmmh, j'adore le cadavre avec de la sauce à la menthe ! lança James.

Au moment où l'avion quittait la piste, Lauren jeta le morceau de viande au visage de son frère.

— Dès que j'aurai le droit de détacher ma ceinture, je te promets que je viendrai te botter le cul.

Constatant que Rat gloussait comme un idiot, elle lui adressa une claque sur l'avant-bras.

— Arrête de rigoler, toi !

Kerry, l'air consterné, regarda James droit dans les yeux.

— Eh bien, tu commences fort, soupira-t-elle. Je suis prête à parier que Lauren et toi allez récolter une punition avant l'atterrissage.

James adressa à Kyle un sourire oblique.

— Elle n'a encore rien vu, chuchota-t-il. J'ai hâte de voir sa tronche quand elle trouvera les nuggets de poulet dans son maillot de bain...

Épilogue

RHIANNON JULES, aussi connue sous le surnom de **JO**, comparut devant le tribunal en compagnie de vingt-trois coaccusés dans le cadre du procès de l'Armée de Libération des Animaux. À l'issue de trois semaines de débat, elle fut condamnée à dix-huit ans de prison, ses complices **KENNET MARCUSSEN**, **ADÉLAÏDE KENT** et **VIV CARTER** à douze, **JAY BUCKLE** à neuf. En raison de son âge et de son rôle secondaire dans le rapt et les actes de torture exercés sur la personne de Nick Cobb, **TOM CARTER** écopa d'une peine de quatre ans d'emprisonnement.

Les investigations de la police dévoilèrent des liens étroits entre certains activistes de l'ALA et la Milice de Libération des Animaux, objectif initial de la mission CHERUB. Le groupe fut démantelé et deux de ses membres convaincus de l'agression de Christine Pierce. Ils purgent aujourd'hui une peine de sept ans de réclusion.

Les deux organisations n'ont pas fait parler d'elles

depuis le coup de filet opéré aux abords de la ferme de Rothbury.

En septembre 2006, **RYAN QUINN** quitta l'Alliance Zebra suite à une violente dispute avec **MADELINE LAING**. Quelques semaines plus tard, il ouvrit un site Internet et entreprit de réunir des fonds afin de fonder un nouveau groupe libérationniste non violent baptisé Zebra 06. Cette organisation, calquée sur le modèle de Zebra 84, applique les principes établis par son fondateur : des actions ciblées menées par une poignée d'activistes extrêmement loyaux.

Sur les soixante-treize **BEAGLES** sauvés par l'Alliance Zebra, quatre chiots souffrant de graves infections causées par les conditions sanitaires déplorables du chenil Ridgeway durent être euthanasiés. Les soixante-neuf rescapés coulent aujourd'hui des jours heureux au sein de familles d'adoption.

Le **CHENIL RIDGEWAY** fut contraint de fermer brièvement ses portes sur décision de justice. Ses propriétaires furent condamnés à verser £ 850 et reçurent l'interdiction d'exercer leur activité pendant dix ans. Par le biais d'un communiqué de presse, l'Alliance Zebra jugea cette sanction *dérisoire* et suggéra que les criminels coupables de telles exactions soient désormais condamnés à une peine minimale de cinq ans d'emprisonnement.

Depuis, les nouveaux responsables du chenil ont amélioré les conditions de vie des animaux et détruit l'abri où étaient élevés les chiots destinés aux expérimentations scientifiques.

En décembre 2006, le porte-parole de **MALAREK** annonça la fermeture des installations de Corbyn Copse et la cession du site à un important promoteur désireux d'y bâtir un lotissement de trois cents pavillons. Il confirma la décision des actionnaires de bâtir un laboratoire ultramoderne en Asie, sans fournir plus de précisions quant à sa localisation. Au cours de la conférence de presse, il expliqua que « *cette nouvelle implantation permettrait à Malarek de conduire des recherches d'une importance capitale dans un environnement favorable d'un point de vue économique et juridique, avec le soutien inconditionnel du gouvernement et l'autorisation d'entretenir sa propre force de sécurité afin de répondre à toute menace terroriste* ».

NICK COBB survécut au traitement infligé par les criminels de l'ALA, mais le détergent causa des dommages irrémédiables à son système digestif. Il subit sept opérations puis se retira en Suisse pour entreprendre une longue convalescence dans une luxueuse clinique privée.

La société Cobb Cleanse Inc. passa un accord avec la famille de la petite fille victime du flacon défectueux. Le montant exact des réparations financières n'a jamais été révélé, mais des sources proches de la société parlent d'une compensation s'élevant à plusieurs dizaines de millions de livres.

Le 28 juillet 2006, le docteur **TERENCE MCAFFERTY** quitta la direction de CHERUB. La plupart des agents se trouvant à la résidence d'été, il passa la matinée à rédiger des notes à l'intention de Zara. Avant le déjeuner, comme tous les jours, il effectua son footing dans les allées du campus.

Mac avait fermement refusé que ses collègues organisent une fête à l'occasion de son départ. Il réunit les membres du personnel d'encadrement dans son bureau, en toute simplicité, autour de sandwiches et de bouteilles de vin. Dès le lendemain, il s'embarqua à bord d'un paquebot pour quatre semaines de croisière dans les Caraïbes en compagnie de son épouse.

Il espérait bien être de retour au campus quelques mois plus tard, aux côtés de plus de cinq cents agents de CHERUB à la retraite, pour célébrer le soixantième anniversaire de l'organisation fondée par son père.

1941

Au cours de la Seconde Guerre mondiale, Charles Henderson, un agent britannique infiltré en France, informe son quartier général que la Résistance française fait appel à des enfants pour franchir les *check points* allemands et collecter des renseignements auprès des forces d'occupation.

1942

Henderson forme un détachement d'enfants chargés de mission d'infiltration. Le groupe est placé sous le commandement des services de renseignement britanniques. Les *boys* d'Henderson ont entre treize et quatorze ans. Ce sont pour la plupart des Français exilés en Angleterre. Après une courte période d'entraînement, ils sont parachutés en zone occupée. Les informations collectées au cours de cette mission contribueront à la réussite du débarquement allié, le 6 juin 1944.

1946

Le réseau Henderson est dissous à la fin de la guerre. La plupart de ses agents regagnent la France. Leur existence n'a jamais été reconnue officiellement.

Charles Henderson est convaincu de l'efficacité des agents mineurs en temps de paix. En mai 1946, il reçoit du gouvernement britannique la permission de créer CHERUB, et prend ses quartiers dans l'école d'un village abandonné. Les vingt premières recrues, tous des garçons, s'installent dans des baraques de bois bâties dans l'ancienne cour de récréation.

Charles Henderson meurt quelques mois plus tard.

1951

Au cours des cinq premières années de son existence, CHERUB doit se contenter de ressources limitées. Suite au démantèlement d'un réseau d'espions soviétiques qui s'intéressait de très près au programme nucléaire militaire britannique, le gouvernement attribue à l'organisation les fonds nécessaires au développement de ses infrastructures.

Des bâtiments en dur sont construits et les effectifs sont portés de vingt à soixante.

1954

Deux agents de CHERUB, Jason Lennox et Johan Urminski, perdent la vie au cours d'une mission d'infiltration en Allemagne de l'Est. Le gouvernement envisage de dissoudre l'agence, mais renonce finalement à se séparer des soixante-dix agents qui remplissent alors des missions d'une importance capitale aux quatre coins de la planète.

La commission d'enquête chargée de faire toute la

lumière sur la mort des deux garçons impose l'établissement de trois nouvelles règles :

1. La création d'un comité d'éthique composé de trois membres chargés d'approuver les ordres de mission.

2. L'établissement d'un âge minimum fixé à dix ans et quatre mois pour participer aux opérations de terrain. Jason Lennox n'avait que neuf ans.

3. L'institution d'un programme d'entraînement initial de cent jours.

1956

Malgré de fortes réticences des autorités, CHERUB admet cinq filles dans ses rangs à titre d'expérimentation. Au vu de leurs excellents résultats, leur nombre est fixé à vingt dès l'année suivante. Dix ans plus tard, la parité est instituée.

1957

CHERUB adopte le port des T-shirts de couleur distinguant le niveau de qualification de ses agents.

1960

En récompense de plusieurs succès éclatants, CHERUB reçoit l'autorisation de porter ses effectifs à cent trente agents. Le gouvernement fait l'acquisition des champs environnants et pose une clôture sécurisée. Le domaine s'étend alors à un tiers du campus actuel.

1967

Katherine Field est le troisième agent de CHERUB à perdre la vie sur le théâtre des opérations. Mordue par un serpent lors d'une mission en Inde, elle est rapidement secourue, mais le venin ayant été incorrectement identifié, elle se voit administrer un antidote inefficace.

1973

Au fil des ans, le campus de CHERUB est devenu un empilement chaotique de petits bâtiments. La première pierre d'un immeuble de huit étages est posée.

1977

Max Weaver, l'un des premiers agents de CHERUB, magnat de la construction d'immeubles de bureaux à Londres et à New York, meurt à l'âge de quarante et un ans, sans laisser d'héritier. Il lègue l'intégralité de sa fortune à l'organisation, en exigeant qu'elle soit employée pour le bien-être des agents.

Le fonds Max Weaver a permis de financer la construction de nombreux bâtiments, dont le stade d'athlétisme couvert et la bibliothèque. Il s'élève aujourd'hui à plus d'un milliard de livres.

1982

Thomas Webb est tué par une mine antipersonnel au cours de la guerre des Malouines. Il est le quatrième agent de CHERUB à mourir en mission. C'était l'un des neuf agents impliqués dans ce conflit.

1986

Le gouvernement donne à CHERUB la permission de porter ses effectifs à quatre cents. En réalité, ils n'atteindront jamais ce chiffre. L'agence recrute des agents intellectuellement brillants et physiquement robustes, dépourvus de tout lien familial. Les enfants remplissant les critères d'admission sont extrêmement rares.

1990

Le campus CHERUB étend sa superficie et renforce sa sécurité. Il figure désormais sur les cartes de l'Angleterre en tant que champ de tir militaire, qu'il est formellement interdit de survoler. Les routes environnantes sont détournées afin qu'une allée unique en permette l'accès. Les murs ne sont pas visibles depuis les artères les plus proches. Toute personne non accréditée découverte dans le périmètre du campus encourt la prison à vie, pour violation de secret d'État.

1996

À l'occasion de son cinquantième anniversaire, CHERUB inaugure un bassin de plongée et un stand de tir couvert.

Plus de neuf cents anciens agents venus des quatre coins du globe participent aux festivités. Parmi eux, un ancien Premier Ministre du gouvernement britannique et une star du rock ayant vendu plus de quatre-vingts millions d'albums.

À l'issue du feu d'artifice, les invités plantent leurs tentes dans le parc et passent la nuit sur le campus. Le lendemain matin, avant leur départ, ils se regroupent dans la chapelle pour célébrer la mémoire des quatre enfants qui ont perdu la vie pour CHERUB.

Table des chapitres

	Avant-propos	**5**
	Rappel réglementaire	**7**
1.	Rouge sang	**9**
2.	Une triste histoire	**16**
3.	Risque zéro	**28**
4.	Sur la bouche	**39**
5.	Une belle leçon d'humanité	**48**
6.	Le troisième agent	**55**
7.	Sous peine de mort	**62**
8.	Chips goût poulet	**78**
9.	Corbyn Copse	**85**
10.	Totalement incapable	**91**
11.	Bon esprit	**99**
12.	Vive la révolution !	**110**
13.	Biscottes suédoises	**117**
14.	Idées noires	**129**
15.	Un groupe qui en a	**136**
16.	Le masque tombe	**146**
17.	Pulsions carnassières	**156**
18.	Situation de crise	**163**
19.	Deux aventurières	**171**
20.	Le grand nettoyage	**177**

21. Boulette   **185**
22. Une chaussette rouge et vert   **192**
23. Strip-tease obligatoire   **200**
24. Un petit mensonge   **210**
25. Convois spéciaux   **219**
26. Apocalypse now   **227**
27. Rêves d'autoroute   **238**
28. Piccadilly Circus   **249**
29. À visage découvert   **254**
30. Invité spécial   **261**
31. Le monde selon Cobb   **268**
32. Un animal comme les autres   **278**
33. Une bonne pinte de nectar   **289**
34. La loi du talion   **297**
35. En pleine improvisation   **306**
36. Un cœur brisé   **314**
37. Décret officiel   **322**
38. Les grandes vacances   **328**

Épilogue   **336**
Historique de CHERUB   **341**

www.cherubcampus.fr